Chères lectrices,

Avez-vous remarqué comme [illegible] termes sans en connaître précisément le sens ? [illegible] « charme », par exemple, que l'on a toujours tendance à qualifier d'« indéfinissable ». A croire qu'il serait impossible de mettre des mots derrière cette notion, condamnée dès lors à rester dans un flou perpétuel !

Pourtant, le charme n'est pas aussi vague qu'on le pense. Et lorsque l'on définit une personne comme « charmante », en réalité, on lui attribue une qualité aussi précise que puissante : celle d'ensorceler ! Evidemment ce sens premier du mot « charme », qui vient du latin *carmen*, le « chant magique », s'est perdu. Mais la notion d'irrationnel n'a pas tout à fait disparu… c'est celle qui subsiste dans le pouvoir mystérieux du charme. Ainsi, quand on tombe amoureux, on se retrouve « sous le charme » comme si la personne aimée nous avait jeté un sort. N'oublions pas non plus le « prince charmant », tout droit sorti de l'univers magique des contes de fées.

Il est toujours amusant de découvrir que, sous l'usage courant de certains mots, se cachent de véritables trésors de signification. En l'occurrence, on comprend mieux ce qui a poussé Mérimée à baptiser son héroïne « Carmen ». N'est-elle pas la femme au chant magique, l'ensorceleuse par excellence, celle qui par son charme séduit l'officier Don José ?

Je vous souhaite à présent une excellente lecture, en compagnie de vos héros, aussi séduisants… que charmants !

La responsable de collection

Un amour sans partage

LUCY GORDON

Un amour sans partage

COLLECTION AZUR

éditions Harlequin

Cet ouvrage a été publié en langue anglaise
sous le titre :
GINO'S ARRANGED BRIDE

Traduction française de
ÉLISABETH MARZIN

83-85, boulevard Vincent-Auriol, 75013 PARIS — Tél. : 01 42 16 63 63
Service Lectrices — Tél. : 01 45 82 47 47
ISBN 2-280-20398-7 — ISSN 0993-4448

1.

Elle avait rarement vu un homme aussi séduisant, songea Laura en observant l'inconnu endormi sur un banc dans le parc.

Son visage aux traits réguliers était d'une beauté à couper le souffle, et même dans son sommeil il émanait de lui un charme irrésistible. Grand et mince, il était renversé en arrière contre le dossier du banc, ses longues jambes étendues devant lui. Malgré ses cheveux ébouriffés, sa barbe naissante et ses vêtements fripés, il possédait une élégance naturelle indéniable.

« Sans doute un joyeux fêtard pour qui la nuit avait été blanche », songea-t-elle, amusée. Mais en étudiant plus attentivement son visage elle changea d'avis. Les cernes marqués qui creusaient ses yeux et la légère crispation de sa bouche sensuelle suggéraient une vie plus tourmentée que dissipée.

— Maman !

Laura se tourna vers sa fille. Son ballon à la main, celle-ci avait envie de jouer.

— Excuse-moi, ma chérie.

Quand Nikki lui avait demandé d'aller au parc pour célébrer cette première vraie journée de printemps, Laura avait d'abord refusé.

— Il ne fait pas encore assez chaud.

— Bien sûr que si ! avait protesté Nikki avec indignation.

C'était vrai, avait reconnu Laura intérieurement. Le soleil brillait dans un ciel sans nuages et l'air était particulièrement doux. Si elle hésitait à emmener Nikki au parc, ça n'avait rien à voir avec la température extérieure. Elle avait une autre raison, qu'elle ne pouvait pas se permettre de formuler. Même si Nikki n'était pas dupe...

Avant de sortir, Laura avait brossé avec énergie ses épaisses boucles blondes. A trente-deux ans, elle possédait toujours la crinière indisciplinée et la silhouette élancée d'une adolescente.

Son visage, en revanche, était celui d'une femme usée prématurément par la tristesse et le désenchantement. Certes, les premières rides n'avaient pas encore fait leur apparition, mais l'ombre de la mélancolie avait terni l'éclat de ses yeux bleus.

Dire que, par moments, cette même ombre voilait le regard de sa fille... Laura soupira. A chaque fois, elle en avait le cœur brisé. A huit ans à peine, Nikki avait déjà perdu en partie son insouciance. Et il n'y avait malheureusement rien à faire dans l'immédiat pour la soulager de son fardeau.

Laura promena son regard autour d'elle. Le parc se remplissait peu à peu. Des enfants jouaient au ballon pendant que leurs mères se prélassaient au soleil.

Elle reconnut deux jeunes femmes, qu'elle salua de loin. Après lui avoir rendu poliment son salut, celles-ci s'empressèrent d'appeler leurs enfants et de les entraîner un peu plus loin. Mortifiée, Laura jeta un coup d'œil à sa fille. De toute évidence, ce manège ne lui avait pas échappé.

— Ne t'inquiète pas, maman, dit Nikki en souriant bravement. Ce n'est pas grave.

Comme à chaque fois dans ce genre de circonstances, Laura dut faire appel à toute sa volonté pour ne pas hurler à la face du monde « Comment osez-vous rejeter ma fille ? En quoi cela vous gêne-t-il qu'elle soit un peu différente des autres enfants ? »

Mais déjà, tout en dribblant avec dextérité, Nikki courait se mettre en place pour jouer avec elle. Apparemment, elle avait décidé d'oublier l'incident. C'était l'attitude la plus sage et elle ferait bien de suivre son exemple, se dit Laura.

Son regard se posa de nouveau sur l'homme endormi sur le banc, le visage offert à la caresse du soleil.

Quel genre de personnalité cachait ce masque d'Adonis ?

Jack aussi était très séduisant. Son regard de braise et son sourire ravageur la faisaient fondre. Jusqu'au jour où il avait disparu, abandonnant femme et enfant sans aucun état d'âme.

Réprimant un soupir, Laura se tourna vers Nikki. Celle-ci l'observait attentivement.

— Tu sais maman, ce n'est pas grave si les autres enfants ne veulent pas jouer avec moi.

Elle porta la main à son front.

— C'est ma tache qui les gêne.

Le cœur de Laura se serra douloureusement.

— Ma chérie..., commença-t-elle.

— C'est pour ça que tu ne voulais pas m'amener ici ? interrompit Nikki d'un ton posé.

Seigneur ! Nikki n'avait que huit ans, mais les épreuves l'avaient rendue plus mûre que bien des adolescents ayant le double de son âge ! songea Laura. S'efforçant de garder un visage serein, elle hocha la tête.

— Oui, c'est pour ça.

— Il ne faut pas t'inquiéter, maman. Les gens ne sont pas méchants. Ils ne savent pas comment me regarder, c'est tout.

Nikki se remit à dribbler, tandis que Laura s'exhortait au calme. Par moments, elle avait des envies de meurtre. Mais éliminer tous les gens incapables de faire abstraction de la tache de vin de sa fille n'était pas une solution...

— Allez, maman, attrape ! s'écria Nikki.

Elles jouaient depuis un moment quand la petite fille donna un coup de pied particulièrement énergique dans le ballon, qui s'éleva très haut, puis sembla rester suspendu en l'air quelques secondes, avant de tomber comme une pierre sur le ventre de l'homme endormi sur le banc. Ce dernier se réveilla en sursaut et poussa un cri, tout en portant instinctivement les mains à son abdomen, bloquant du même coup le ballon.

— Il est à toi ? demanda-t-il à Nikki qui s'était plantée devant lui.

— Oui, monsieur. Je suis désolée, déclara-t-elle en le regardant droit dans les yeux.

— J'espère bien ! rétorqua-t-il d'un ton faussement indigné. J'étais en train de rêver et puis pouf ! je reçois un grand coup dans le ventre et mon rêve disparaît !

Il parlait avec un accent étranger, constata Laura. Mais surtout, il n'avait pas eu le plus infime mouvement de recul en voyant Nikki... Et il soutenait son regard sans ciller.

— Je ne l'ai pas fait exprès, dit la petite fille en se déplaçant légèrement pour se mettre bien en face de lui.

— Il ne manquerait plus que ça ! s'exclama-t-il en riant.

Guettant ses réactions, Nikki ne le quittait pas des yeux, constata Laura avec un pincement au cœur. Il était si rare pour elle de rencontrer un inconnu qui la traite d'emblée comme n'importe quelle autre enfant ! A vrai dire, ça n'arrivait pratiquement jamais…

— Excusez-la, intervint Laura en les rejoignant. J'espère que vous n'êtes pas blessé.

— Je pense que je survivrai, répliqua l'homme avec un sourire qui illumina son visage.

Il était déjà séduisant quand il dormait, mais quand il avait les yeux ouverts et le sourire aux lèvres, les mots manquaient pour qualifier son charme, songea Laura, admirative.

— Le ballon vous a taché, fit-elle observer.

Il baissa les yeux sur sa chemise passablement usée et toute chiffonnée.

— C'est d'autant plus ennuyeux qu'elle sort juste du pressing, commenta-t-il d'un ton pince-sans-rire.

Nikki gloussa. Il lui adressa un clin d'œil.

Laura osait à peine y croire. D'ordinaire, quand ils la rencontraient pour la première fois, les gens évitaient soigneusement de la regarder. Ou bien ils se montraient d'une gentillesse excessive, ce qui était presque pire. Cet homme, lui, se comportait avec un naturel qui réchauffait le cœur.

— Je m'appelle Laura Gray, dit-elle en tendant la main. Et voici ma fille, Nikki.

— Mon nom est Gino Farnese.

Il lui donna une poignée de main chaleureuse, puis il fit de même avec Nikki en déclarant d'un ton solennel :

— *Buon giorno, signorina. Sono Gino.*

— Qu'est-ce que ça veut dire ? demanda Nikki.

— « Bonjour, jeune fille. Je m'appelle Gino. »

— De quel pays venez-vous ?

— D'Italie.

— Vous savez jouer au football ?

— Si mes adversaires ne me malmènent pas trop, je peux être un joueur honorable.

— Alors viens, on va jouer ensemble ! s'écria joyeusement Nikki sans plus de cérémonie.

Puis elle partit comme une flèche en l'invitant à la suivre.

— Je suis désolée, intervint Laura. Ne vous sentez surtout pas obligé de…

— Ne vous inquiétez pas, coupa-t-il en souriant. Un homme averti en vaut deux. Je ne me laisserai plus surprendre par les shoots redoutables de votre fille.

— Ce n'est pas ce que je…

Laura n'eut pas le temps de terminer sa phrase. Gino Farnese s'éloignait déjà. De toute évidence, il était beaucoup plus doué qu'il ne l'avait laissé entendre, comprit-elle au bout d'un moment. Sa façon de taper dans le ballon avec juste ce qu'il fallait de puissance et de précision pour laisser gagner Nikki, sans pour autant la dispenser de faire des efforts, révélait une grande habileté.

Ravie de voir sa fille s'en donner à cœur joie, Laura se dirigea vers le banc. En s'asseyant, elle remarqua une valise, posée à même le sol. Pas très grande, couverte d'éraflures, celle-ci était en aussi piteux état que les vêtements de Gino Farnese. Il semblait se confirmer que la vie de cet homme n'avait rien d'idyllique. Aurait-il passé la nuit dans le parc ?

Laura fut tirée de ses réflexions par le rire joyeux de Nikki, qui venait de shooter avec vigueur dans le ballon. Gino plongea en avant pour le bloquer, et le manqua. Délibérément, bien sûr… Laura réprima un sourire.

— But pour Nikki ! hurla-t-il en se roulant par terre en faisant mine de s'arracher les cheveux. Je suis déshonoré !

Plusieurs personnes lui jetèrent des regards perplexes avant de prendre prudemment leurs distances.

— C'est toujours la même chose, dit-il d'un air plaintif. Je fais peur aux gens parce qu'ils me croient fou.

— Eh bien, tu ne me feras jamais peur à moi, même si tu es vraiment fou, affirma Nikki.

— Merci, *piccina*.

Tandis qu'il se relevait d'un bond pour aller récupérer le ballon, Nikki courut vers sa mère, à qui elle confia, les yeux brillant d'excitation :

— On dirait qu'il ne voit rien, maman ! C'est comme s'il ne voyait pas ma tache. Peut-être que pour lui elle est invisible.

La gorge nouée par l'émotion, Laura cherchait désespérément un commentaire approprié quand Gino les rejoignit. Prise d'une impulsion, elle déclara :

— Il est l'heure de rentrer pour le goûter. J'espère que vous accepterez de nous accompagner. Après tout ce que ma fille vous a fait subir, le moins que je puisse faire est de vous inviter à prendre le thé.

— C'est très gentil à vous, mais...

— Parfait, allons-y. Nous habitons à deux pas.

Sans attendre, Laura se mit en route. Pas question de lui laisser la possibilité de refuser. Nikki n'avait pas été aussi joyeuse depuis des années et il fallait à tout prix prolonger ce moment exceptionnel.

Pendant tout le trajet, la petite fille ne cessa pas de bavarder avec leur invité. Ayant constaté que son accent italien la réjouissait au plus haut point, il l'exagérait à plaisir, faisant redoubler son hilarité. Cet homme était décidément très attentionné, songea Laura, de plus en plus touchée par son attitude.

— Nous sommes arrivés, annonça-t-elle en s'arrêtant devant le porche d'une grande maison victorienne à deux étages.

— C'est immense ! s'exclama-t-il. Vous avez une famille nombreuse, je suppose.

— Non, pas du tout. Mais je loue des chambres.

Il arqua les sourcils.

— Vraiment ?

— Oui, d'ailleurs il m'en reste une. Assez petite, mais le loyer est proportionnel, bien sûr.

Laura baissa les yeux, confuse. Pourvu qu'elle ne donne pas l'impression de lui forcer la main ! Cependant, ce serait si merveilleux pour Nikki s'il s'installait chez elles...

Il la suivit dans le hall d'entrée, vaste et lumineux, d'où partait un escalier en bois qui conduisait aux chambres. Sur la gauche se trouvait le salon, dont elle ouvrit la porte.

— C'est ici qu'est installé le seul poste de télévision, commenta-t-elle. Mais le point stratégique de la maison, c'est la cuisine. Suivez-moi.

Elle entraîna Gino dans le couloir, au bout duquel se trouvait une grande cuisine, meublée à l'ancienne. Il y régnait une atmosphère chaleureuse qui incitait à s'y attarder.

Tandis que Laura branchait la bouilloire, Gino déclara :

— Pour décider si vous pouvez m'accueillir sous votre toit, il faut que vous en sachiez un peu plus à mon sujet.

— Je sais que vous faites pétiller de joie les yeux de ma fille, répliqua Laura à voix basse pour ne pas être entendue de Nikki, qui rangeait son ballon dans le hall. C'est l'essentiel.

— Peut-être, mais ça ne suffit pas. Vous ignorez tout de moi. D'abord, je dois vous prévenir que je n'ai pratiquement pas de liquide sur moi. Et je n'ai pas non plus de chéquier ni de carte de crédit. J'ai été…

Il fronça les sourcils.

— *Como si dice…* ? Ah oui, j'ai été agressé.

— Mon Dieu ! Où donc ?

— A Londres, hier après-midi. Dans la gare. Un homme m'a arraché mon portefeuille au moment où je m'apprêtais à retirer de l'argent à un guichet automatique. Au même moment, deux complices se sont emparés de mes bagages. Tout s'est passé si vite que je n'ai même pas eu le temps de les voir.

» Heureusement, j'avais gardé mon passeport et quelques billets dans ma poche revolver, mais depuis, j'ai déjà presque tout dépensé. »

— Avez-vous porté plainte ?

— A quoi bon ? J'ai fait opposition aux cartes de crédit et j'ai acheté quelques vêtements d'occasion. Ainsi qu'une vieille valise dans laquelle j'ai rangé le seul costume présentable qu'il me reste.

» Moi qui n'aime pas l'agitation de Londres, après cet incident j'étais encore plus pressé d'en partir ! Avec l'argent que j'avais, j'ai acheté un billet de train. Je vous avoue que j'ai choisi Elvetham au hasard. Je ne sais même pas dans quelle région d'Angleterre nous nous trouvons… »

— Elvetham est un village du Hampshire, au sud-ouest de Londres. C'est un endroit calme, au milieu de la campagne. Si vous n'aimez pas l'agitation des villes, vous allez vous y plaire. La vie y est des plus paisibles. Qu'avez-vous fait en descendant du train ?

— Je suis parti à l'aventure et j'ai fini par arriver au parc. Je me suis endormi sur le banc où vous m'avez trouvé. J'y ai passé la nuit, d'où mon allure un peu… négligée.

Il caressa sa barbe d'un air piteux.

— En fait, si Nikki n'avait pas eu la bonne idée de m'envoyer son ballon dans l'estomac, je dormirais peut-être encore, ce qui serait vraiment dommage. Grâce à elle, non seulement je me suis amusé comme un petit fou, mais j'ai trouvé une chambre. Mademoiselle, je vous dois une reconnaissance éternelle, déclara-t-il d'un ton solennel à Nikki, qui venait de les rejoindre.

Elle pouffa, tandis qu'il s'inclinait profondément devant elle.

— Demain j'essaierai d'ouvrir un compte en banque, puis je me ferai envoyer de l'argent d'Italie, poursuivit-il. Malheureusement, d'ici-là, je suis incapable de vous verser le moindre acompte.

— Rien ne presse, assura Laura. De toute façon, il vaut mieux que vous essayiez la chambre. Comme je vous l'ai dit, elle n'est pas très grande. Il se peut qu'elle ne vous convienne pas.

— Oh, vous savez, je ne suis pas difficile. La preuve, j'ai passé la nuit dehors !

Laura sourit, rassurée. Apparemment, l'affaire était conclue. Pour voir sa fille aussi rayonnante, elle aurait été prête à héberger Gino Farnese gratuitement. Mais quelque chose lui disait qu'il n'apprécierait pas ce genre de proposition.

— J'ai étudié l'Italie en cours de géographie, annonça fièrement Nikki. Elle ressemble à une botte. De quelle région viens-tu ?

— De Toscane.

Avait-il eu une légère hésitation avant de répondre, ou bien était-ce un effet de son imagination ? se demanda Laura, intriguée, tandis que Nikki poursuivait son interrogatoire.

— Où se trouve la Toscane ?

— Vers le haut de la botte. Sur la gauche.
— Ta maison est là-bas ?
Une ombre passa sur le visage de Gino et il répéta d'une voix à peine audible :
— Ma maison…
— Elle est en Toscane ? insista Nikki.
— Oui.
— Elle ressemble à celle-ci ?
— Non, c'est une ferme.
La petite fille ouvrit de grands yeux.
— Une grande ferme ? Avec des animaux ?
— Non, seulement de la vigne. Mais elle est grande, en effet. Très grande. Il y avait trop de travail, alors je me suis échappé. Hmm, comme ça sent bon ! Qu'est-ce que c'est ?
— Du thé, répondit Laura. Je vous en sers une tasse ?
« Sans conteste, il avait saisi le premier prétexte pour changer de sujet », se dit-elle. C'était bien la première fois qu'elle entendait quelqu'un s'extasier sur le parfum d'un thé totalement inodore ! Pourquoi son visage s'était-il assombri à l'évocation de sa maison ? Que fuyait-il exactement ? Sûrement pas le travail, comme il venait de le suggérer. Fallait-il croire cette histoire d'agression, la veille à Londres ? Pas sûr. En fait, il avait raison. Elle ignorait tout de lui.
Elle l'observa discrètement pendant qu'il buvait son thé en bavardant avec Nikki. Quels que soient les problèmes qui l'avaient amenés jusqu'à Elvetham avec pour tout bagage une vieille valise à moitié vide, elle pouvait lui faire confiance, songea-t-elle. Ne serait-ce qu'en raison de son attitude envers Nikki, qui dénotait une grande sensibilité.
— Je vais préparer votre chambre, dit-elle en se levant.
Il la suivit à l'étage, Nikki sur les talons.

La chambre en question était en effet très petite. En dehors d'un lit étroit juste assez long pour Gino, une penderie, une commode, une chaise et un lavabo suffisaient à l'encombrer.

Quand Laura entreprit de faire le lit, Nikki voulut absolument l'aider, si bien que Gino fut obligé de se plaquer contre le mur.

— Puis-je me rendre utile ? demanda-t-il.

— Tu peux mettre l'oreiller dans la taie, si tu veux, répondit Nikki.

— A vos ordres, mam'zelle.

— J'ai cinq autres pensionnaires, expliqua Laura tout en s'affairant. Sadie et Claudia sont sœurs et travaillent toutes les deux dans une fabrique d'ordinateurs qui se trouve à quelques rues d'ici. Bert est veilleur de nuit dans un hôtel. Fred travaille comme videur dans une discothèque. Quant à Mme Baxter, qui est veuve, elle est retraitée de l'enseignement depuis quelques années. C'est elle qui veille sur Nikki les soirs où je travaille.

— En plus de tenir cette maison, vous travaillez à l'extérieur ? s'exclama-t-il, visiblement surpris.

— Oui, quelques heures par semaine. Comme barmaid dans un pub.

Lorsque le lit fut terminé, Laura promena autour d'elle un regard critique.

— Je crains que le décor ne soit un peu minimaliste, commenta-t-elle avec une moue confuse.

— Je vais chercher quelque chose ! déclara Nikki.

Elle partit en courant et revint quelques instants plus tard en serrant dans ses bras un petit chien en peluche qu'elle déposa sur la commode.

— Il s'appelle Simon, dit-elle à Gino. Il te tiendra compagnie.

— Merci, répondit-il en s'accroupissant devant elle pour l'embrasser sur la joue. C'est très gentil. A présent j'ai un ami.

— Non trois. Maman et moi aussi nous sommes tes amies.

Gino leva un regard interrogateur vers Laura.

— C'est vrai, confirma-t-elle. A présent, il faut que j'aille préparer le dîner. Viens, Nikki. Si Gino a dormi toute la nuit sur un banc, il a certainement envie de se reposer un peu.

Il ne le nia pas.

Lorsqu'elles furent parties, il s'allongea sur le lit. Quand il avait dit avoir dormi dans le parc, c'était une façon de parler. Bien sûr, il s'était assoupi à plusieurs reprises, mais depuis qu'il avait quitté la Toscane six mois auparavant, l'insomnie était devenue son lot. Dire qu'autrefois il dormait toujours comme un bienheureux... Désormais, ses nuits étaient peuplées de souvenirs cruels et de regrets lancinants qui le tenaient en éveil.

Quand Nikki l'avait interrogé sur sa maison, une nostalgie aiguë lui avait étreint le cœur. Il avait été si heureux à Belluna, la propriété que son frère et lui possédaient en Toscane... Mais c'était également là-bas qu'il avait perdu sa joie de vivre et toutes ses illusions.

Le jour où il avait compris que c'était à son frère qu'appartenait le cœur d'Alex, son univers s'était effondré. « Je ne t'aimerai jamais, lui avait-elle dit. Pas comme tu le souhaites, en tout cas. »

Personne n'avait compris à quel point ses sentiments pour elle étaient profonds. Avant de la connaître, il papillonnait d'une conquête à l'autre, aussi prompt à se lasser qu'à s'enflammer. Insouciant et désinvolte, il menait une existence frivole, tout entière consacrée à courir après le plaisir.

Et puis, un jour, il avait rencontré Alex. Touché au plus profond de son être pour la première fois de sa vie, il avait rêvé d'amour absolu et de serments éternels. Lui, le séducteur volage, il avait désiré ardemment s'unir à Alex pour le meilleur et pour le pire ! Et dans son aveuglement, il n'avait pas douté que ses vœux seraient exaucés.

Jusqu'à l'instant où il l'avait trouvée dans le lit de son frère…

2.

Implacablement, nuit après nuit, ce souvenir revenait le hanter. Pendant ses insomnies, et jusque dans ses rêves quand, par hasard, le sommeil consentait à s'emparer de lui…

Parviendrait-il jamais à oublier ce jour funeste où il avait avoué son amour à Alex devant des centaines de personnes ?

— Mon cœur t'appartient depuis le moment où j'ai posé les yeux sur toi, lui avait-il déclaré, tout vibrant d'émotion.

Puis il s'était agenouillé à ses pieds, et devant toute l'assemblée réunie pour fêter la fin des vendanges, il lui avait demandé de devenir sa femme. Alex était restée silencieuse, se contentant de le fixer d'un air consterné.

Cependant, cela n'avait pas suffi à l'éclairer. Pas une seconde il n'avait douté de sa réponse, tant il était égaré par les chimères qu'il s'était forgées… La croyant gênée parce qu'ils étaient en public, il l'avait entraînée à l'écart pour réitérer sa demande en tête à tête.

Remettant un genou à terre, il lui avait de nouveau déclaré sa flamme.

— Tu es la seule, l'unique, mon premier et dernier amour. Avant toi je n'existais pas. Sans toi ma vie n'a aucun sens. Alex, veux-tu devenir…

D'une voix douce mais ferme, elle l'avait interrompu pour lui dire sans détour qu'elle ne l'aimait pas. Mais cette vérité était insupportable. Incapable de l'affronter, il avait préféré continuer à se nourrir d'illusions. Réussissant à se persuader qu'elle finirait par reconnaître qu'elle l'aimait aussi, il était parti. Il suffisait d'attendre un moment plus propice, avait-il décrété.

Quel idiot, mais quel idiot !

Gino se redressa dans son lit, dans la petite chambre de la maison victorienne. Du rez-de-chaussée montait un murmure de voix. Il consulta sa montre. Les autres pensionnaires devaient être réunis dans la cuisine, où le dîner ne tarderait pas à être servi. Mais il n'était pas question de descendre pour l'instant. Quand ses souvenirs le harcelaient avec une telle vivacité, il n'était pas en état d'affronter qui que ce soit.

En soupirant, il se rallongea.

Après avoir quitté Alex, il avait marché jusqu'à l'aube dans la vallée, loin de la ferme. En rentrant, il avait décidé de demander conseil à Rinaldo, le frère aîné qu'il avait toujours considéré comme un second père, l'homme en qui il avait le plus confiance. Sans frapper, il était entré dans sa chambre.

Et là, il était resté cloué sur place, anéanti. Rinaldo n'était pas seul. La tête au creux de son épaule, il dormait dans les bras d'Alex. Le drap rabattu au pied du lit dévoilait la nudité des deux amants, visiblement repus après une nuit d'amour.

Au souvenir de cette vision de cauchemar, Gino frémit de tout son être. Lui qui avait si souvent rêvé du moment où le corps nu d'Alex s'offrirait à son regard ! Etant donné les circonstances, ce spectacle avait bien failli le faire sombrer dans la folie.

Combien de temps était-il resté pétrifié, les yeux rivés sur le lit, incapable de la moindre réaction ? Il ne le saurait jamais. Alex s'était réveillée la première. En le voyant, elle avait blêmi, puis, après une brève hésitation, elle lui avait tendu la main en articulant silencieusement son nom. Comme s'il venait de recevoir une décharge électrique, il s'était écarté vivement en laissant échapper un cri de douleur. Puis il avait pivoté sur lui-même et s'était enfui à toutes jambes.

Bien plus tard, quand il était rentré à la ferme, il avait fallu affronter Rinaldo. Celui-ci lui avait déclaré avec tristesse mais fermeté :

— Tu n'as rien à nous reprocher. Alex n'appartient à personne. C'est elle qui m'a choisi.

Bien sûr, Rinaldo avait raison. Et c'était peut-être ce qui avait été le plus difficile à admettre. Sa grande histoire d'amour n'avait existé que dans son esprit. Non seulement Alex ne l'avait jamais aimé, mais à aucun moment elle ne lui avait donné la moindre raison d'imaginer le contraire. Il avait bien été obligé de le reconnaître.

Malheureusement pour lui, la passion qu'elle lui inspirait n'en était pas moins réelle pour autant. Cependant, ni Rinaldo ni Alex n'avaient compris l'acuité de sa souffrance.

Lui seul savait qu'Alex était la femme de sa vie et qu'il venait de subir une perte irréparable. Etre témoin de leur bonheur était un supplice atroce. Quelle solution lui restait-il à part la fuite ?

En perdant Alex, il avait donc perdu également son foyer et sa terre natale. Depuis six mois, il errait à travers l'Europe, avec pour seul objectif de rester éloigné de Belluna. Bien sûr, en tant que copropriétaire de la ferme, il avait droit à une part des revenus de l'exploitation, même s'il ne participait plus aux travaux. Mais, sauf en cas de nécessité absolue, l'idée de profiter d'un argent qu'il ne gagnait plus lui-même le rebutait.

Plutôt que de vivre en parasite, mieux valait prendre les emplois qui se présentaient au fil de ses pérégrinations. D'autant plus que ces derniers comportaient souvent des taches pénibles, qui, en l'abrutissant de fatigue, avaient l'avantage de le distraire momentanément de sa douleur. Le jour où celle-ci commencerait à s'estomper — en admettant que ce jour béni finisse par arriver — il prendrait une décision concernant son avenir.

D'ici-là il continuerait de mener cette existence de vagabond, sans désirs ni projets...

Une obscurité profonde régnait dans la chambre, constata Gino en ouvrant les yeux. Il consulta le cadran lumineux de sa montre. Presque minuit. Finalement, il s'était endormi... Cinq heures de sommeil, c'était un véritable miracle !

Il se leva et jeta un coup d'œil dans le couloir. Le silence régnait sur la maison, plongée dans le noir. Manifestement, tout le monde était couché. Toutes les portes donnant sur le couloir étaient fermées. Comment reconnaître celle des toilettes ?

A son grand soulagement, il entendit la porte d'entrée s'ouvrir. Se penchant par-dessus la rambarde du palier, il vit Laura entrer dans la maison.

— Pst ! appela-t-il à mi-voix. *Aiuto* !

— Pardon ?

— *T'imploro* !

— Que se passe-t-il ?

L'urgence était telle que les mots ne lui venaient plus qu'en italien.

— *Un gabinetto. Ti prego — ti prego, un gabinetto !*

Laura ne comprit pas ses paroles, mais elle en comprit aisément le sens.

— Ici, répondit-elle en ouvrant une porte sous l'escalier.

— *Grazie, grazie !*

Il descendit les marches quatre à quatre et se rua dans les toilettes. Amusée, Laura monta à l'étage pour s'assurer que Nikki dormait bien. Après avoir déposé un baiser sur le front de sa fille en prenant soin de ne pas la réveiller, elle se rendit à la cuisine. Au moment où elle branchait la bouilloire, Gino l'y rejoignit. Beaucoup plus détendu, constata-t-elle en réprimant un sourire.

— Merci ! s'exclama-t-il. Excusez-moi de vous avoir parlé en italien, mais...

— Ça ne m'a pas empêchée de vous comprendre, interrompitt-elle en riant.

Au même instant, la bouilloire se mit à siffler. Mais alors que Laura s'apprêtait à la débrancher, Gino l'arrêta d'un geste.

— Asseyez-vous. C'est moi qui vais préparer le thé. Vous devez être fatiguée.

— Merci.

Reconnaissante, elle se laissa tomber sur une chaise en demandant :

— Savez-vous faire le thé à l'anglaise ?

— Je vous ai regardée cet après-midi.

Apparemment, c'était un excellent observateur, songea Laura quelques instants plus tard. Son thé était délicieux.

— Combien de soirs par semaine travaillez-vous comme barmaid ? demanda-t-il.

— Trois, en principe.

— Il ne doit pas vous rester beaucoup de temps pour vous.

— Je n'en ai pas besoin. Nikki est toute ma vie. Rien d'autre ne compte.

— Vous êtes... seule ? demanda-t-il avec délicatesse.

— Oui. Autrefois j'étais mariée avec le père de Nikki. Nous avons été très heureux pendant plusieurs années. Nikki adorait Jack et il le lui rendait bien. C'était le père idéal. Très présent, très attentif. Mais quelque temps après le quatrième anniversaire de Nikki, sa tache est soudainement apparue. Quelques semaines plus tard, Jack nous a quittées. Du jour au lendemain, sans prévenir, il est parti.

— *Maria Vergine ! Un criminale !*

— Je devine ce que vous venez de dire et je suis entièrement d'accord avec vous, approuva-t-elle avec un sourire désabusé.

— Et la *piccina*, comment a-t-elle réagi ?

— Avec beaucoup de courage. Elle a très bien compris pourquoi son père est parti et elle en souffre énormément, bien sûr. Mais elle refuse de s'apitoyer sur son sort. Elle est vraiment étonnante.

— N'existe-t-il pas de traitement pour la débarrasser de cette tache ?

— Une intervention chirurgicale est envisageable, mais pas avant qu'elle ait terminé sa croissance. Ça lui promet encore plusieurs années d'humiliations. Si vous saviez à quel point les gens sont cruels...

— Elle est si adorable !

— Oui, mais certains parents empêchent leurs enfants de jouer avec elle. Comme si elle était contagieuse ! Une telle bêtise me rend folle.

— Je vous comprends. Et à l'école, comment ça se passe ?

— Elle a quelques très bons camarades, et la plupart de ses professeurs sont parfaits. Mais il se trouve toujours des enfants pour se moquer d'elle et faire des plaisanteries stupides.

Gino jura à mi-voix.

— En principe, la chirurgie devrait résoudre définitivement le problème, poursuivit Laura. Mais Nikki en aura souffert pendant toute son enfance.

— *Piccina...*

— Vous ne pouvez pas savoir à quel point vous lui avez fait plaisir, cet après-midi dans le parc. Vous êtes resté si naturel quand elle s'est approchée de vous ! Pas le moindre battement de cils. C'était... Oh, je vous en serai éternellement reconnaissante ! Nikki n'en revenait pas. Elle a même cru que vous ne voyiez pas du tout sa tache.

Gino baissa les yeux sur sa tasse. Il ne méritait pas la gratitude de Laura, songea-t-il avec embarras.

— Dans un sens, elle a raison. Sur le moment, je n'ai rien remarqué. J'étais trop centré sur moi-même et mes problèmes pour lui prêter vraiment attention. Je ne mérite pas votre reconnaissance.

— Bien sûr que si. Peu importe que vous n'ayez rien remarqué sur le moment. Ce qui compte c'est le naturel avec lequel vous vous êtes comporté tout au long de l'après-midi. Elle est si souvent blessée par ce qu'elle peut lire dans le regard des autres ! déclara Laura d'une voix où perçait l'amertume.

— Je vous promets que rien de ce qu'elle verra dans le mien ne pourra lui faire de la peine.

— Merci du fond du cœur. Merci pour elle. Et pour moi.

Le lendemain au petit déjeuner, Gino fit la connaissance de trois pensionnaires. Sadie et Claudia, les deux sœurs, lui souhaitèrent la bienvenue avec chaleur. Agées sensiblement du même âge, la quarantaine, elles occupaient toutes les deux un poste à responsabilité chez Computor, la fabrique d'ordinateurs voisine de la maison. Passionnées d'informatique, elles étaient toujours prêtes à se lancer dans de grandes explications sur les dernières innovations technologiques.

Quant à Mme Baxter, une petite femme menue au regard perçant, elle étudia longuement Gino de la tête aux pieds avant d'émettre un petit murmure, de toute évidence approbateur.

En apprenant qu'il était italien, Sadie et Claudia manifestèrent un grand intérêt.

— Nous sommes allées en Italie l'année dernière, confia Sadie.

— Un salon informatique très intéressant s'est tenu à Milan, précisa Claudia. Connaissez-vous Milan, monsieur Farnese ?

— Appelez-moi Gino, s'il vous plaît, protesta-t-il aussitôt. Non, je ne suis jamais allé à Milan. Je viens de Toscane.

Elles l'assaillirent aussitôt d'une foule de questions très pertinentes sur la Toscane, auxquelles il répondit courtoisement.

— En général, Bert et Fred ne prennent pas le petit déjeuner avec nous, expliqua Laura dès qu'une pause dans la conversation lui permit de prendre la parole. A cette heure-ci ils dorment. Fred ne rentre qu'à l'aube, après la fermeture de la discothèque. Quant à Bert, le veilleur de nuit, il n'est rentré que depuis cinq minutes et il est allé directement se coucher.

Nikki partit pour l'école en compagnie de Mme Baxter, qui, bien qu'à la retraite, y travaillait encore à temps partiel. Avant de quitter la maison, la fillette expliqua à Gino, comme une parfaite hôtesse :

— Je suis obligée de m'absenter mais je serai de retour dans l'après-midi.

— J'attendrai ce moment avec impatience, répliqua-t-il en souriant.

Quand tout le monde eut quitté la maison, Gino aida Laura à laver la vaisselle. « Il semblait avoir fait ça toute sa vie », constata-t-elle avec surprise.

— Moi qui pensais que les Italiens étaient d'horribles machos ! plaisanta-t-elle. J'étais persuadée qu'ils ne mettaient jamais les pieds dans la cuisine.

Il leva les yeux au ciel en prenant un air de martyre.

— Nous sommes victimes de préjugés terriblement injustes. Quand j'étais enfant, ma mère a tenu à m'inculquer les rudiments du ménage. « Juste au cas où », a-t-elle précisé en me faisant laver deux tasses à café. Quand j'ai eu terminé, elle m'a renvoyé jouer dehors.

Laura arqua les sourcils.

— C'est tout ?

— Oui. Mais il faut reconnaître que je suis un excellent laveur de tasses.

Ils terminèrent de ranger la cuisine en riant.

Un peu plus tard, elle le conduisit en ville en voiture et l'accompagna à la banque, où ils obtinrent sans difficulté d'être reçus par le directeur.

— Le transfert de fonds de votre compte italien à celui que vous venez d'ouvrir chez nous prendra quelques jours, expliqua ce dernier. Mais d'ici-là, je peux vous accorder un léger découvert.

Gino commença par régler à Laura deux semaines de loyer.

— Pour cette semaine et la prochaine, précisa-t-il.

— Vous me donnez beaucoup trop ! protesta-t-elle. Nous sommes presque à la fin de la semaine et vous n'êtes arrivé qu'hier.

— Les affaires sont les affaires. Toute semaine entamée est due dans son intégralité.

— N'est-ce pas plutôt à la propriétaire de fixer ce genre de règle ? demanda-t-elle, embarrassée.

— Si. Mais comme je soupçonne que vous êtes une très mauvaise femme d'affaires, je préfère prendre les devants. Il faut bien que quelqu'un protège vos intérêts, ajouta-t-il d'une voix douce.

Laura tressaillit. Il y avait si longtemps que personne ne s'était préoccupé de ses intérêts...

— Je ne peux pas m'empêcher de me sentir coupable d'accepter cet argent.

— Ne vous inquiétez pas, vous ne l'aurez pas volé. Vous ne le savez pas encore, mais vous venez d'accepter sous votre toit le pensionnaire le plus pénible que vous aurez jamais.

Il l'accompagna ensuite dans les magasins en insistant pour participer activement au shopping, sous prétexte que c'était une excellente méthode d'apprentissage de la langue. Il en profita pour faire le clown, déformant des mots qu'elle le soupçonna de connaître parfaitement, puis implorant son aide avec une mine piteuse.

Laura rit de bon cœur à ses pitreries. Il fallait reconnaître qu'il était irrésistible. Et curieusement, malgré sa beauté exceptionnelle, qui attirait tous les regards, il n'était pas le moins du monde imbu de sa personne. Que cachait-il sous ce masque désinvolte ? Il parlait beaucoup mais sans jamais rien dévoiler d'essentiel.

En revanche, elle-même se livrait bien plus volontiers qu'à l'accoutumée, s'aperçut-elle un peu plus tard alors qu'ils s'accordaient une pause dans un salon de thé.

— Je suis née dans la région, et quand j'étais adolescente, je considérais que c'était l'endroit le plus ennuyeux du monde, lui confia-t-elle. Je ne rêvais que de la vie trépidante des grandes villes.

— Et vous n'êtes jamais partie ?

— Si, bien sûr. J'ai vécu plusieurs années à Londres. J'y ai pris des cours de danse, puis très vite, j'ai participé à des spectacles. Ensuite, avec cinq autres danseurs, nous avons formé une petite troupe. C'est à cette occasion que j'ai rencontré mon futur mari. Jack était notre agent.

— Ça devait être exaltant. Je suppose que votre réussite lui tenait à cœur.

Laura eut une moue désabusée.

— C'était ce que je croyais, moi aussi. Mais dès que nous avons été mariés, il m'a demandé d'abandonner la danse. Nous nous sommes affrontés pendant un certain temps, puis j'ai découvert que j'étais enceinte. Après la naissance de Nikki, je n'avais de toute façon plus qu'une envie : lui consacrer tout mon temps. Par ailleurs, j'avais pris des kilos que je n'ai jamais réussi à perdre depuis.

Il l'examina de la tête aux pieds avec une minutie délibérée.

— Je me demande bien où vous les cachez.

— Merci, mais vous êtes trop indulgent : ils sont toujours là et trop nombreux pour une danseuse. De toute façon, je suis trop vieille, à présent.

— Quel âge pouvez-vous avoir ? dit-il en plissant le front. Quatre-vingts ans ? Quatre-vingt-cinq ?

Elle éclata de rire.

— Trente-deux.

— Vous plaisantez ? Sérieusement, je vous donnais au moins la soixantaine.

Laura rit de nouveau, mais une pointe de nostalgie assombrit néanmoins son regard.

— Excusez-moi, s'empressa de dire Gino avec confusion. C'était une plaisanterie stupide.

— Pas du tout. C'est moi qui suis stupide. Je n'aurais jamais dû évoquer le passé. Ça m'a rappelé que je m'étais promis d'être célèbre à trente ans.

— Vous n'évoquez jamais le passé ?

— Avec qui ? Pas avec Nikki, en tout cas. Ce serait trop douloureux pour elle. Quant à mes pensionnaires, en quoi ma vie les intéresserait-elle ?

Gino éprouva de la compassion pour Laura. Comme il l'avait déjà soupçonné, elle vivait dans un profond isolement. Quel courage elle avait ! Ses épaules étaient bien frêles pour porter les lourds fardeaux que la vie lui avait imposés.

— Est-ce après la rupture avec votre mari que vous êtes revenue ici ? demanda-t-il avec douceur.

— Oui. Rester à Londres était au-dessus de mes moyens. La vie y est beaucoup trop chère. Et puis…

Baissant les yeux, elle hésita un instant avant de poursuivre.

— Jack a en quelque sorte « acheté » mon départ. Il commençait à être assez connu dans le milieu du spectacle et il ne voulait pas que « les gens qui comptent » apprennent « les détails de sa vie privée ». Il disait que ça lui ferait du tort professionnellement. Il m'a donc proposé de me dédommager très avantageusement si je consentais à quitter Londres. J'ai accepté parce que je considérais que c'était la meilleure solution pour Nikki. Je suis revenue ici, et avec la somme qu'il m'a donnée j'ai acheté cette maison, dont je tire des revenus.

— Apparemment insuffisants, puisque vous êtes obligée de travailler le soir. Quand dormez-vous ?

— Bien sûr, ce n'est pas l'idéal, mais il faut considérer les bons côtés de la situation. Nikki est moins isolée que si nous vivions seules et je n'ai aucun frais de baby-sitting. Il y a toujours quelqu'un pour la garder quand je m'absente. Elle s'entend très bien avec tous les pensionnaires.

« Bien sûr, j'ai parlé à tous de sa tache avant qu'ils ne la rencontrent pour la première fois, si bien qu'il n'y a eu aucun problème. Quand c'est possible, je ne laisse jamais rien au hasard. Mais Nikki n'est pas dupe. Ce sont les gens comme vous qu'elle chérit le plus. Ceux que je n'ai pas eu le temps de prévenir. Malheureusement, ils sont très rares.

A leur retour à la maison, ils trouvèrent Bert et Fred dans la cuisine, en train de prendre leur petit déjeuner.

Le contraste entre les deux hommes était saisissant. Fred, le videur, était un colosse au flegme impressionnant, alors que Bert, petit et fluet, ne tenait pas en place.

Gino se sentit immédiatement à l'aise avec eux, d'autant plus qu'ils se découvrirent une passion commune pour le football. En quelques minutes, ils devinrent tous les trois les meilleurs amis du monde.

Quand Nikki revint de l'école dans l'après-midi avec Mme Baxter, elle salua brièvement sa mère, puis réclama aussitôt toute l'attention de son nouvel ami.

— Laisse Gino finir son thé avant de lui sauter dessus, intervint Laura avec embarras.

— Mais maman, j'ai fait un dessin à l'école et je suis sûre que Gino a envie de le voir ! N'est-ce pas, Gino ?

— Absolument, s'empressa-t-il d'acquiescer. Je suis très impatient.

— Si elle vous ennuie, n'hésitez pas à le lui faire savoir, d'accord ? insista Laura.

— Comment pourrait-elle m'ennuyer ? C'est mon amie. Tout ce qu'elle a à me dire m'intéresse.

Il resta un long moment dans le salon avec Nikki à admirer ses œuvres en lui prodiguant des commentaires élogieux.

Lorsque Sadie et Claudia rentrèrent de l'usine, il leur demanda s'il était possible d'y trouver du travail.

— Seulement comme manutentionnaire à l'entrepôt, répondit Sadie. Je suppose que vous cherchez quelque chose de plus intéressant.

— Les travaux pénibles ne me font pas peur. Au contraire.

— Dans ce cas, présentez-vous de ma part au responsable de l'emballage à la première heure demain matin.

Le lendemain, Gino était embauché pour un salaire couvrant son loyer et ses dépenses quotidiennes. Il s'installa avec satisfaction dans sa nouvelle routine.

Cependant, il lui était de plus en plus difficile de ne pas penser à son pays natal. D'une curiosité avide, Nikki ne cessait de l'assaillir de questions sur l'Italie.

Le fait qu'il soit étranger la fascinait, et rien ne la ravissait plus que les mots italiens qui lui échappaient régulièrement. La première fois qu'elle entendit *Assolutamente niente*, elle fut aux anges.

— Ça veut dire « absolument rien », expliqua-t-elle fièrement à Laura dix fois de suite.

— Oui, ma chérie. Je sais.

— Tu ne trouves pas que c'est joli ? *Assolutamente niente. Assolutamente niente.*

— Si j'entends encore une seule fois cette expression, je vais laisser libre cours à mes pulsions meurtrières, murmura Laura à Gino.

— Pauvre Nikki ! commenta-il en riant.

— Ce n'est pas elle que je vais tuer. C'est vous !

A l'école, Nikki parlait si souvent de son ami italien que le professeur de géographie chargea Mme Baxter de demander à Gino s'il accepterait de faire un exposé devant la classe.

— Moi ? s'exclama-t-il, hilare. Jouer les professeurs ?

— Tu n'auras pas à donner un vrai cours, se hâta de préciser Nikki pour le rassurer. Il faudra juste parler de l'Italie. Expliquer qu'il y a plein de musique et de couleurs partout, que le soleil brille presque tout le temps, que…

— D'accord, d'accord ! coupa-t-il en riant. C'est bon, j'accepte.

Quelques jours plus tard, il prévint l'usine qu'il prenait son après-midi et se rendit à l'école après le déjeuner. Qu'allait-il bien pouvoir raconter ? se demandait-il, en proie malgré lui à un certain trac.

L'inspiration lui vint quand il découvrit que les élèves étudiaient *Roméo et Juliette*. Il leur parla de Vérone et leur décrivit avec force détails le fameux balcon de la maison des Capulet.

Les élèves furent très impressionnés, en particulier les filles, qui tombèrent immédiatement sous le charme de cet homme fabuleusement beau, à l'accent chantant. Quant à Nikki, qui rayonnait de fierté, elle devint l'héroïne de la classe.

3.

A partir de ce jour-là, Gino se mit à donner régulièrement à Nikki ce qu'il appelait des « cours d'histoire ». Cependant ceux-ci semblaient être consacrés presque exclusivement aux épisodes les plus sanglants du passé de l'Italie.

— N'est-elle pas un peu jeune pour entendre parler de Lucrèce Borgia ? demanda Laura.

Il arqua les sourcils d'un air innocent.

— Pourquoi ? Lucrèce était une femme charmante.

— Je ne pense pas que ses victimes auraient partagé ce point de vue. Combien de personnes a-t-elle empoisonnées ?

Gino eut un sourire malicieux.

— Entre nous, elle n'a probablement empoisonné personne. Mais ne le dites surtout pas à Nikki. Elle serait très déçue.

Dès qu'il avait été engagé à l'usine, Gino avait augmenté de lui-même son loyer. Les protestations de Laura étaient restées vaines.

— *Silenzio !* avait-il intimé avec une sévérité inhabituelle.

Puis il avait obstinément refusé de discuter.

Il s'était adapté avec aisance à la vie de la pension. Toujours prêt à accorder son attention à quiconque la réclamait, il devint un confident apprécié de tous. Très vite, il fut au courant de la querelle qui opposait Claudia et Bert. Ces derniers passaient parfois plusieurs jours d'affilée sans s'adresser la parole. Nikki, qui s'entendait parfaitement avec chacun des deux opposants, avait pris l'habitude de jouer les messagers.

— Claudia, Bert demande si c'est toi qui as mangé le dernier petit gâteau.

— Bert, Claudia dit qu'elle l'a mangé pour te rendre service, parce que tu as besoin de maigrir.

Et ainsi de suite. A la longue, Gino finit par être investi du même rôle. Ça lui donnait le sentiment de faire partie de la famille, assura-t-il à Laura, qui s'inquiétait pour sa tranquillité.

Il prit également l'habitude d'effectuer divers travaux de bricolage dans la maison, et de se mettre de temps à autre aux fourneaux.

Les soirs où Laura travaillait au pub, elle laissait Nikki à la garde de Mme Baxter ou des deux sœurs, tandis que Gino faisait de la menuiserie. Il avait découvert que par souci d'économie, Laura achetait des meubles à monter soi-même. Mais le montage n'était pas son fort et elle ne pouvait compter ni sur Bert ni sur Fred, qui étaient aussi peu habiles de leurs mains l'un que l'autre. Si bien que la cave était pleine de meubles à moitié assemblés.

Gino vint rapidement à bout de trois petites commodes destinées aux chambres, à la grande joie des autres pensionnaires. Il monta ensuite une penderie, puis un soir, il entreprit de poser des étagères dans le salon.

Nikki se trouvait dans la pièce, occupée à feuilleter un album de photos. Quand il eut terminé, elle admira son travail.

— Comment as-tu fait pour laisser exactement le même espace entre toutes les planches ? demanda-t-elle, visiblement impressionnée.

— Ce n'est pas très compliqué.

— Maman ne sait pas le faire.

— Je m'en doutais un peu, répliqua Gino en riant.

Il rangea ses outils et s'assit à côté d'elle sur le canapé.

— Qui est-ce ? demanda-t-il.

Il indiqua la photo d'une jeune fille svelte, vêtue d'un jean et d'un chemisier blanc, qui dansait avec une grâce et une énergie manifestes, le visage encadré de mèches blondes ébouriffées. Tout en elle évoquait l'exubérance et la passion.

Etait-ce Laura ?

La réponse de Nikki lui confirma qu'il avait deviné juste.

— C'était maman.

— Tu veux dire *c'est* maman, rectifia-t-il.

— Non, elle n'est plus comme ça. C'était avant que je la connaisse.

— Avant le commencement du monde, murmura Gino, comprenant ce qu'éprouvait la petite fille.

Fasciné, il ne parvenait pas à détacher son regard de la jeune danseuse. Elle semblait si heureuse, si épanouie... Quand on savait comment la vie l'avait traitée par la suite, c'était poignant. Quel âge pouvait-elle avoir ? Seize ans ? Dix-huit ? Elle n'avait pas encore perdu ses illusions, en tout cas. De toute évidence, elle ne doutait pas que ses rêves finiraient par s'accomplir.

Les clichés suivants offraient un aperçu de sa carrière de danseuse. On la voyait en collant, concentrée sur les pas qu'elle répétait. Puis sur scène, en costume scintillant.

Nikki n'avait pas vraiment tort, songea Gino. Cette jeune fille semblait avoir peu de points communs avec la femme qu'était devenue Laura. Elle était sophistiquée, sûre d'elle, visiblement très à l'aise sous les feux des projecteurs. Et elle avait des jambes sublimes, nota-t-il avec intérêt. Interminables et admirablement galbées. Normal, pour une danseuse... A vrai dire, elle avait un corps parfait. Certes, son attention avait été d'abord attirée par ses jambes, mais tout le reste était à l'avenant.

Suivaient ensuite des photos de mariage. La danseuse avait été une jeune mariée radieuse en adoration devant son époux, qu'elle couvait des yeux tandis que, les mains jointes sur le même couteau, ils s'apprêtaient à couper la pièce montée.

Lui, en revanche, ne la regardait pas. Il adressait à l'objectif un sourire éclatant, comme pour inviter le monde entier à admirer son physique avantageux.

Un jeune coq imbu de sa personne, commenta Gino in petto. Un peu comme il l'était lui-même à une certaine époque, ajouta-t-il aussitôt avec honnêteté. Cependant, il ne se sentait pas plus indulgent pour autant envers ce monstre d'égoïsme qui avait lâchement fui ses responsabilités. Ni la jeune fille de l'album ni la jeune femme que Laura était devenue ne méritaient d'être traitée de la sorte. Ni personne, d'ailleurs.

Après le mariage, venait la naissance du bébé. Laura dans un lit tenait Nikki dans ses bras, tandis que son mari assis à côté d'elle, un bras autour de ses épaules, regardait sa fille avec émerveillement.

— C'est mon papa, annonça Nikki.

La fierté qui perçait dans sa voix surprit Gino, mais il se garda de tout commentaire. La petite fille continua de tourner les pages. A en juger par le nombre de photos les représentant ensemble, le père et la fille avaient été inséparables. Il lui apprenait à marcher, il lui donnait son bain, il jouait avec elle dans le parc... Plus elle grandissait plus elle lui ressemblait, constata Gino. Elle avait ses cheveux bruns, ses yeux marron et sa bouche sensuelle.

Sur l'un des clichés, ils se regardaient dans les yeux, le même sourire complice aux lèvres, comme s'ils étaient conscients de leur ressemblance et s'en réjouissaient.

Les dernières pages de l'album étaient révélatrices. Sur le front de Nikki, la tache commençait à apparaître. Désormais, c'était Laura qui figurait le plus souvent sur les clichés en sa compagnie. Sur les rares photos où son père apparaissait encore, il avait perdu son sourire et son visage était empreint d'une stupeur effarée.

Sur la dernière page, il était absent de tous les clichés. « Nikki adorait Jack et il le lui rendait bien », avait dit Laura. « Comment pouvait-on renier son amour pour une petite fille ? Pour sa propre fille ? » se demanda Gino. Il fallait croire que cet amour comportait une grande part de narcissisme.

En tout cas, un homme capable d'abandonner sa fille au moment où celle-ci avait le plus besoin de lui était un véritable monstre. Dire qu'il avait osé renvoyer Laura loin de Londres pour préserver sa tranquillité ! En proie à une rage impuissante, Gino prit une profonde inspiration et s'exhorta au calme. Pas question de laisser paraître ses sentiments devant Nikki...

Avant de refermer l'album, celle-ci caressa doucement du bout des doigts le visage de son père.

— C'était papa, commenta-t-elle d'un ton neutre.

« Bon sang ! Que dire ? » se demanda désespérément Gino.

— Il a l'air... très...

— Il m'a appris à nager. Il m'avait aussi promis de m'apprendre à dessiner quand je serais plus grande. Mais il n'a pas pu, parce qu'il est mort.

Gino eut le souffle coupé.

— Mort ?

— Oui, mon papa est mort, répéta Nikki le plus naturellement du monde.

Gino inspira profondément. Comment réagir ? Jamais il ne s'était trouvé dans une situation aussi délicate... Pris d'une inspiration subite, il déclara avec sincérité :

— Il aurait été très fier des dessins que tu m'as montrés l'autre jour. Tu es très douée, tu sais.

Le visage de Nikki s'illumina.

— Comme papa. Il était très fort en dessin.

Gino fut soulagé par l'air ravi de la petite fille. Cependant, elle n'avait pas fini de le déstabiliser.

D'un air grave, elle ajouta :

— Il ne faut pas répéter à maman que je sais que papa est mort. Elle croit que je ne suis pas au courant et il vaut mieux qu'elle continue à le croire. Sinon, elle va s'inquiéter pour moi. Elle va avoir peur que je sois malheureuse.

Incapable d'émettre le moindre son, Gino se contenta de hocher la tête en signe d'acquiescement. « Mon Dieu ! Il ne manquait plus que cela ! » songea-t-il, atterré.

Quand Nikki fut couchée, il prit son manteau et quitta la maison. Après la soirée qu'il venait de passer, il était beaucoup trop perturbé pour tenir en place...

Il arpentait les rues désertes au hasard quand il aperçut un pub à quelques mètres devant lui. The Running Sheep, indiquait l'enseigne.

Une bière ne lui ferait pas de mal, songea-t-il en poussant la porte. Le décor un peu suranné de l'établissement et l'atmosphère qui y régnait lui plurent immédiatement. Après avoir commandé une bière brune au barman, il s'installa à une table un peu à l'écart.

Il but une longue gorgée et poussa un profond soupir. Contrairement à ce qu'il avait espéré, sa longue marche n'avait pas suffi à lui éclaircir les idées. Il était vrai qu'il ne s'était encore jamais trouvé devant un tel dilemme. Quelle attitude devait-il adopter à l'égard des confidences de Nikki ? Il n'en avait toujours pas la moindre idée. Néanmoins, cet endroit était agréable et parfait pour siroter une bière en essayant de se vider l'esprit.

Il ferma les yeux. Se serait-il assoupi ? se demanda-t-il quand il les rouvrit. Derrière le comptoir, au lieu du barman, se trouvait à présent une jeune femme aux boucles blondes. C'était Laura ! constata Gino avec surprise au bout d'un moment.

Il avait tellement l'habitude de la considérer comme sa logeuse ou comme la mère de Nikki qu'il ne l'avait jamais vraiment vue comme une femme. Mais ce soir, elle lui apparaissait sous un jour différent. La superbe danseuse qu'il avait admirée sur les photos quelques heures plus tôt n'avait pas complètement disparu…

Il ne la quitta pas des yeux, tandis qu'elle discutait avec un client. Faisait-elle du charme à celui-ci ou bien n'était-ce qu'une impression ? En tout cas, un sourire joyeux éclairait son visage encadré de boucles blondes. Un visage qui paraissait bien plus jeune qu'à l'accoutumée.

En fait, il ressemblait beaucoup à celui de la jeune fille des photos, même si l'insouciance ne s'y reflétait plus. La femme qu'elle était devenue paraissait plus vulnérable. Mais aussi plus intéressante. Et à vrai dire, très séduisante…

Le client, un homme d'un certain âge, était manifestement ravi de l'attention que lui portait Laura et semblait disposé à s'attarder. Mais soudain le barman réapparut en regardant ostensiblement sa montre.

— Dernière commande, messieurs dames ! annonça-t-il d'une voix forte.

Il n'y avait pas grand monde et quelques instants plus tard, le service était terminé. Gino fit un signe à Laura pour attirer son attention. Elle le rejoignit et ils quittèrent le pub ensemble.

— C'est donc pour venir ici que vous vous éclipsez trois soirs par semaine. En tout cas, je comprends mieux pourquoi ce travail ne vous pèse pas. Allez, avouez, combien de soupirants avez-vous exactement ? demanda-t-il avec un sourire malicieux.

— Si vous saviez ! rétorqua-t-elle en riant. En tout cas, Sam, que vous avez vu ce soir, est mon plus fidèle admirateur. C'est un vieil homme charmant et sa conversation ne manque pas d'intérêt.

— Vous arrive-t-il d'avoir des problèmes avec des clients un peu trop entreprenants ? s'enquit Gino plus sérieusement.

— Jamais rien de très grave. De toute façon j'ai un crochet du droit redoutable, plaisanta-t-elle. Voulez-vous que je vous fasse une démonstration ?

— Non merci, je vous crois sur parole.

Ils marchèrent un moment en silence. L'air était doux et le ciel parsemé d'étoiles. Finalement, Gino se décida. C'était dommage de gâcher cet instant privilégié, mais malheureusement, il n'avait pas le choix.

— J'ai beaucoup hésité, mais je pense qu'il vaut mieux que je vous répète une confidence que m'a faite Nikki ce soir. Elle m'a affirmé que son père était mort.

Laura se figea et le regarda d'un air effaré.

— Pardon ?

— Elle m'a montré des photos de lui, dans un album. Elle m'a expliqué qu'il lui avait appris à nager et qu'il lui avait promis de lui apprendre également à dessiner quand elle serait plus grande. Puis elle ajouté textuellement « Mais il n'a pas pu, parce qu'il est mort. »

— Mais non ! Il n'est pas mort, murmura Laura d'une voix à peine audible. Il nous a quittées.

— Ne donne-t-il jamais de nouvelles ?

— Je n'ai plus entendu parler de lui depuis que le divorce a été prononcé.

— Il n'écrit même pas à Nikki pour Noël ? Ni pour son anniversaire ?

— Jamais. C'est sûrement pour ça qu'elle préfère l'imaginer mort.

— Pensez-vous qu'elle y croie vraiment ?

— Non. S'il était mort, je l'aurais avertie. Je suis sûre qu'elle en est parfaitement consciente.

Gino poussa un soupir.

— Je ne vous ai pas encore tout dit. Elle m'a demandé de ne pas vous répéter notre conversation parce que, selon elle, vous croyez qu'elle n'est pas au courant de la mort de son père. Et elle préfère que vous continuiez à le croire parce que sinon vous vous inquiéteriez pour elle.

— Oh, mon Dieu ! C'est un comble.

— Je ne vous cache pas que je suis très embarrassé d'avoir trahi sa confiance. J'ai longuement hésité, mais je ne pouvais pas me résoudre à garder pour moi une telle information.

— Bien sûr. Vous avez eu raison de m'en parler. Oh, mon Dieu ! Je n'ai pas su m'y prendre avec elle. Si j'avais…

— Vous n'avez rien à vous reprocher ! coupa Gino, atterré. Le seul coupable, c'est son père.

— Mais j'aurais dû être plus attentive. Je ne me suis même pas aperçue qu'elle se racontait des histoires ! C'est très grave !

Laura cacha son visage dans ses mains. Gino la prit dans ses bras et la serra contre lui tandis qu'elle laissait libre cours à ses larmes.

— Vous n'avez rien à vous reprocher, insista-t-il. Vous n'êtes pas tenue à l'impossible. Quoi que vous fassiez, Nikki souffrira de l'absence de son père.

— Peut-être, mais mon rôle est de lui apprendre à affronter la réalité au lieu de la nier. Il faut absolument que je lui parle dès ce soir.

— Non, surtout pas ! Réfléchissez. Qu'allez-vous lui dire ? Que j'ai trahi sa confiance ?

— Voyons, Gino, elle n'a que huit ans et…

— Raison de plus. Il serait catastrophique qu'elle se sente trahie par le seul adulte à qui elle s'est confiée.

— Vous voyez bien qu'il y a un problème. Pourquoi ne se confie-t-elle pas à moi ?

— Parce qu'elle veut vous préserver. Et aussi parce qu'il lui est plus facile de parler à quelqu'un qui n'est pas directement impliqué dans la situation. Tant qu'elle me fait confiance, je peux peut-être lui être utile, ainsi qu'à vous. Laura, s'il vous plaît, ne faites rien qui puisse détruire cette confiance.

Elle soupira.

— Vous avez raison. Moi, en revanche, j'ai encore failli commettre une grosse erreur.

— Laura, voulez-vous me faire plaisir ?

Elle leva vers lui un regard perplexe.

— Cessez une fois pour toutes de vous blâmer à tout propos. Vous n'avez rien à vous reprocher. Moi qui vis sous votre toit, je peux vous assurer que vous êtes une mère formidable et que Nikki vous adore. Et si vous n'êtes pas parfaite, c'est plutôt rassurant, parce que personne ne l'est. Imaginez le calvaire pour une fille d'avoir une mère parfaite !

Elle eut un petit rire étranglé.

— Par ailleurs, vous devez savoir que vous pouvez compter sur moi pour vous soutenir, ajouta-t-il gravement.

— Merci.

Lui passant un bras autour du cou, elle l'embrassa sur la joue.

— Comment arrivais-je à m'en sortir avant votre arrivée ? Vous êtes le petit frère le plus extraordinaire qui puisse exister.

— Pourquoi petit ?

— J'ai trois ans de plus que vous. Vous êtes donc mon petit frère. Un petit frère dont j'aurais beaucoup de mal à me passer.

— A propos, j'ai fini de poser les étagères.

Elle ouvrit de grands yeux.

— Oh, vous alors ! Merci. C'est bien ce que je disais, je ne pourrais plus me passer de vous, ajouta-t-elle avec un sourire malicieux.

Il lui prit le bras.

— Depuis quand se vouvoie-t-on entre frère et sœur ? Allez, viens, rentrons. Ton petit frère meurt de faim.

A leur retour, il prépara des spaghettis à la sauce tomate, qu'ils mangèrent dans la cuisine.

Ensuite, Laura sortit l'album de photos et ils le feuilletèrent ensemble.

— Je suppose qu'on t'a souvent dit que tu étais superbe, à l'époque, commenta-t-il.

Elle poussa un petit soupir.

— Oui, en effet. Mais c'est si loin…

Quel idiot ! se morigéna aussitôt Gino. Lui qui voulait lui remonter le moral, c'était réussi... Pourquoi avait-il cru bon de préciser « à l'époque » ? En fait, il s'était comporté comme un véritable mufle !

— Ce n'est pas du tout ce que..., commença-t-il.

— Oh, taisez... tais-toi !

A son grand soulagement, elle laissa échapper un petit rire et lui donna une bourrade amicale.

— Les photos sont très révélatrices, dit-il pensivement. Elles font revivre les personnes que nous avons été et que nous avons parfois oubliées.

— Et toi ? En as-tu à me montrer ?

— Pas ici.

— Pas une seule ? J'aimerais tellement voir à quoi ressemblait le Gino que je n'ai pas connu.

Après une légère hésitation, il se décida.

— D'accord.

Il monta dans sa chambre et revint quelques minutes plus tard avec une photo.

Les cheveux en bataille, il tenait par les épaules une jeune femme ravissante. Grande, blonde, élégante, elle possédait un charme immense. Gino et elle se regardaient en riant, dans un décor de fête coloré et plein de lumières.

Laura étudia attentivement le cliché. Etait-ce à cause de cette jeune femme que Gino avait fui l'Italie ? Que s'était-il passé entre eux ?

— Je ne t'ai jamais vu aussi rayonnant, commenta-t-elle. Tu parais prêt à dévorer la vie à pleines dents sans te soucier des conséquences. Aujourd'hui, tu sembles avoir appris la prudence.

Il hocha la tête.

— Bien observé.

— Y a-t-il longtemps que cette photo a été prise ?

— L'année dernière. Autant dire des siècles. C'était dans un autre monde, ajouta-t-il d'un air désabusé.

Laura soupira.

— Je comprends ce que tu veux dire. Le destin nous réserve toutes sortes de surprises, n'est-ce pas ?

— En effet.

— Merci de me l'avoir montrée, dit-elle en lui rendant la photo.

Il la reprit sans un mot.

Ensuite, ils bavardèrent de tout et de rien pendant un moment, puis ils allèrent se coucher. C'était le genre de soirée paisible qu'il aurait redoutée autrefois, songea Gino en regagnant sa chambre. Et pourtant, il en avait apprécié chaque instant. Laura avait raison. Le destin réservait toutes sortes de surprises.

Le lendemain soir, Laura retourna travailler au pub.

Pendant la première heure, elle fut débordée et n'eut pas le temps de souffler. Quand le rythme finit par se ralentir, elle put enfin servir un homme qui attendait à l'autre bout du bar depuis un long moment sans manifester d'impatience.

— Je suis désolée, s'excusa-t-elle en arborant une mine penaude.

Il lui adressa un sourire charmeur.

— Ne vous inquiétez pas, j'ai tout mon temps.

D'âge moyen, il donnait une impression de grande sérénité. Ses cheveux blonds, épais, et ses yeux d'un bleu profond éclairaient un visage que le temps commençait tout juste à marquer. A vrai dire, il était très séduisant, songea Laura en lui servant un whisky.

Avec le même sourire charmeur, il leva son verre en déclarant :

— Je serais ravi que vous acceptiez de trinquer avec moi. Puis-je vous offrir quelque chose ?

— Merci, je vais prendre un jus d'orange.

Par la suite, à chaque fois que le service lui laissa un moment de répit, Laura le rejoignit au bout du bar. Il s'appelait Steve Dayton et venait souvent dans la région, où il prospectait dans l'intention d'y implanter une papeterie, lui confia-t-il.

— Je ne connais personne à Elvetham et on ne peut pas dire que les distractions y soient très nombreuses. Je suis déjà venu plusieurs fois dans ce pub en espérant que vous me remarqueriez, mais je n'ai jamais eu cette chance.

Laura eut un sourire courtois. En réalité, elle se souvenait l'avoir déjà vu. Mais il n'était pas question de le lui avouer. Pas encore… Elle répondit une banalité d'un ton léger, puis s'éloigna pour servir un autre client.

Au moment de la fermeture, il lui proposa de la raccompagner chez elle en voiture.

— Merci, ce serait…

Elle s'interrompit en apercevant Gino, assis à la même table que la veille. Depuis combien de temps était-il là ? Dans la cohue, elle ne s'était pas aperçue de sa présence.

— Non, reprit-elle à l'adresse de Steve. Finalement ce n'est pas la peine. Merci quand même.

Il suivit son regard.

— Je vois. Votre petit ami ?

— Pas du tout ! s'exclama-t-elle en riant. Mon frère. Bonsoir.

Elle mit son manteau et se dirigea vers la table de Gino. Il était assoupi.

— Hé, dit-elle en lui tapant sur l'épaule. Réveille-toi.

Il ouvrit les yeux et promena autour de lui un regard ensommeillé.

— Hum ? marmonna-t-il. Oh, bonsoir, Laura.

— Il est l'heure de partir.

Devant lui, son verre était encore à moitié plein. Il le porta à ses lèvres.

— Ma bière est éventée, se plaignit-il avec une moue dépitée. Combien de temps ai-je dormi ?

— Je ne sais pas. Je viens seulement de m'apercevoir de ta présence.

— C'est ton patron qui m'a servi. Il y avait un monde fou, quand je suis arrivé. Allons-y.

Il se mit debout avec un effort visible et la suivit dehors.

— Je crains que tu ne sois obligée de me soutenir jusqu'à la maison, dit-il en posant une main sur son épaule.

— Combien de verres as-tu bus avant de t'endormir ?

— Aucune idée. D'où l'intérêt de s'endormir. Ça remet le compteur à zéro.

— Ce n'est pas sérieux, commenta-t-elle en prenant une mine sévère.

— Pas de leçon de morale, par pitié ! On pourrait te prendre pour ma grand-mère.

— C'est logique, puisque tu te conduis comme un gamin. Tu as besoin qu'on te surveille.

— Inutile de te fatiguer, je suis irrécupérable.

« A en juger par son air lugubre, il ne plaisantait qu'à moitié », se dit Laura. Peut-être allait-il finir par lui confier ce qui le tourmentait. Cependant, la rue n'était pas l'endroit le mieux choisi. Mieux valait s'abstenir de tout commentaire jusqu'à ce qu'ils soient arrivés à la maison.

Une fois dans la cuisine, elle lui indiqua une chaise.

— Assieds-toi.

— Tu continues à me parler comme à un gamin, protesta-t-il avec une moue boudeuse.

Elle eut un sourire malicieux.

— Si tu m'obéis sagement, je te parlerai de nouveau comme à un homme.

Il s'assit docilement. Laura brancha la bouilloire et monta voir Nikki. Lorsqu'elle revint, l'eau bouillait et Gino était toujours affalé sur sa chaise dans la même position. Elle prépara une tasse de café instantané qu'elle posa devant lui.

Ce qui déclencha son indignation.

— Du café anglais ? Instantané ? Grands Dieux, tu veux ma mort !

— Non, j'essaie juste de te dégriser.

Il lui jeta un regard atterré et se leva pour faire du vrai café avec le percolateur, acheté par lui dès le lendemain de son arrivée. Laura réprima un sourire satisfait. Elle avait au moins réussi à le sortir de sa torpeur...

Le café qu'il lui servit était fort, parfumé, exquis. En un mot, italien.

Ils le dégustèrent dans un silence complice, apaisé. C'était peut-être le moment ou jamais, songea Laura.

— Qui est-elle ? demanda-t-elle d'une voix douce.

— De qui parles-tu ?

— De la jeune femme sur la photo. C'est à cause d'elle que tu as quitté l'Italie, n'est-ce pas ?

Elle retint son souffle. Allait-il une fois de plus éluder la question ? Se fâcher, peut-être ? Mais après un long silence, il finit par répondre.

— Elle s'appelle Alex. Elle est arrivée en Toscane l'année dernière parce qu'elle avait hérité d'une concession sur notre ferme.

— Notre ferme ?

— Rinaldo, mon frère, et moi sommes copropriétaires de Belluna.

Gino s'interrompit un instant avant de reprendre d'une voix où perçait une pointe de cynisme :

— Nous n'avions pas les moyens de lui racheter cette concession. Nous en avons donc conclu que l'un de nous deux allait devoir l'épouser. Nous avons tiré à pile ou face.

Laura n'en crut pas ses oreilles.

— Pardon ?

— Oui, tu as bien entendu. Nous avons tiré à pile ou face. Oh, inutile de me regarder avec cet air effaré. Je sais ce que tu penses et tu as entièrement raison. Nous sommes d'horribles machos et nous avons eu une attitude inqualifiable. Ne t'inquiète pas, je suis bien d'accord avec toi.

Il eut un sourire désabusé.

— Si tu voyais ta tête !

— Vous méritiez qu'on prenne l'un pour taper sur l'autre. J'espère qu'elle vous a donné une bonne leçon à tous les deux.

La mâchoire de Gino se crispa.

— En tout cas, elle nous a prouvé que nous étions bien naïfs de nous croire les maîtres du jeu. Naïfs et ridiculement présomptueux…

Il baissa la tête avant d'ajouter :

— C'est elle qui a choisi entre nous deux.

Et de toute évidence, elle avait choisi son frère… Laura sentit son indignation s'évanouir. Quels que soient les jeux stupides auxquels il avait joué, Gino subissait un châtiment implacable. De toute évidence, avoir perdu Alex l'avait détruit. Et son sort lui était sans doute d'autant plus insupportable qu'il était le seul à avoir été puni. Pas étonnant qu'il ait décidé de fuir la Toscane…

Elle posa une main sur son bras.

— Gino…

Il releva lentement la tête, comme à contrecoeur.

— Tu m'as dit que je pouvais toujours compter sur toi, poursuivit-elle d'une voix douce. J'espère que tu es bien conscient que la réciproque est vraie. Si tu as besoin de parler, n'hésite pas à te confier à moi. Je ne veux pas me mêler de ce qui ne me regarde pas, bien sûr. Simplement, si tu as besoin d'une oreille attentive, sache que je suis là.

Il eut un pâle sourire.

— Merci. Mais je n'ai rien d'autre à raconter. C'est de l'histoire ancienne et Alex n'est plus qu'un lointain souvenir.

« Et moi, je suis la reine d'Angleterre », répliqua Laura in petto. La croyait-il vraiment assez naïve pour croire un mensonge aussi énorme ? Sans doute pas. Mais bien entendu, il regrettait déjà ses confidences et préférait rentrer dans sa coquille.

Comme pour lui donner raison, il se leva brusquement, lui souhaita une bonne nuit et monta dans sa chambre.

4.

L'homme qui bavardait avec Laura au bar était le même que la veille. Il l'avait aperçu juste avant de s'assoupir, se souvint Gino en entrant dans le pub.

A première vue, il frisait la quarantaine. Manifestement aisé, il était vêtu avec élégance. Par ailleurs, il fallait reconnaître qu'il avait un physique avantageux. Il devait plaire aux femmes... En tout cas, à en juger par sa mine réjouie, Laura appréciait sa compagnie.

Comme pour conforter Gino dans son opinion, Laura éclata de rire. Une étrange émotion s'empara de lui. « Elle était soudain redevenue la jeune danseuse des photos », constata-t-il, fasciné. Quelle fraîcheur dans son rire ! Et quelle sensualité dans sa façon de rejeter la tête en arrière...

L'homme saisit la main de Laura et la porta à ses lèvres. Elle fronça les sourcils et lui dit quelques mots, mais sans retirer sa main. Si elle avait réprimandé son compagnon, c'était uniquement pour la forme, apparemment. Un autre client lui fit signe, la rappelant à ses obligations. Elle se dirigea vers lui, un sourire rêveur aux lèvres.

Gino, qui était resté près de la porte, s'éclipsa discrètement.

Il regagna la maison et s'allongea sur son lit. Quand il entendit Laura rentrer, il se leva et descendit la rejoindre dans la cuisine. Elle préparait du thé en chantonnant. Sans s'interrompre, elle lui indiqua une tasse d'un mouvement du menton en arquant les sourcils d'un air interrogateur. Il hocha la tête.

— Tu sembles toute joyeuse, ce soir, dit-il en s'appliquant à prendre un air dégagé.

Elle haussa les épaules.

— Oh, pas plus que d'habitude ! Enfin, si, peut-être un peu plus.

— La soirée a été bonne au pub ?

— Oui, très animée. Les affaires marchent bien en ce moment.

— Je suppose que tu ne manques pas d'admirateurs.

— Tu le sais bien. Tu les as vus.

— J'ai aperçu une fois un vieillard. Mais tu en as sûrement beaucoup d'autres, plus… entreprenants.

— Je t'ai déjà dit que je savais les tenir à distance. Ne t'inquiète pas, personne ne se permet de prendre des libertés avec moi.

— Personne ?

— Pas sans mon consentement, en tout cas.

— Ah.

Laura se tourna vers Gino, visiblement intriguée.

— Un problème ?

— Non, aucun, assura-t-il précipitamment.

— Tu as un air bizarre.

— Je suis juste un peu fatigué. Je bois mon thé et je monte me coucher.

Gino ne pouvait s'empêcher d'être contrarié. « Pourquoi Laura ne lui parlait-elle pas de cet homme ? » se demanda-t-il en regagnant sa chambre. N'étaient-ils pas censés être amis ? Mieux encore : ne le considérait-elle pas comme son petit frère ?

Toutefois, si elle n'avait pas envie de se confier à lui, c'était bien son droit. Après tout, sa vie privée ne le regardait pas. Et ne l'intéressait pas non plus, conclut-il avec cependant moins de conviction qu'il ne l'aurait voulu.

Tous les matins, à l'entrepôt, plusieurs employées du service d'emballage, plus séduisantes les unes que les autres, se battaient pour apporter son thé à Gino.

— Il est trop modeste pour s'en vanter, mais il a un succès fou, révéla Claudia un soir pendant le dîner. Je n'ai jamais vu ça ! Maisie et Jill, par exemple. Elles sont prêtes à s'arracher mutuellement les yeux pour un sourire de lui.

— Non, tu confonds ! objecta Gino, les yeux pétillant de malice. Ce ne sont pas Maisie et Jill, mais Lily et Rose.

Il fit mine de réfléchir un instant avant de poursuivre.

— A moins que ce ne soient Patsy et Cindy. Ou bien...

— Moi qui viens de dire que tu étais modeste ! s'exclama Claudia en riant.

— Je comprends mieux pourquoi tu apprécies tant ton travail, le taquina Laura.

— Je n'ai jamais caché qu'il présentait de nombreux avantages.

— Toutes ces filles sont tes petites amies ? demanda Nikki en ouvrant de grands yeux.

— Toutes, confirma-t-il avec le plus grand sérieux.

— Alors tu en as plus que les autres ?

— Bien sûr !

— Pourquoi ?

— Parce que je suis italien et que l'Italie est le pays de Casanova.

— Qui est Casanova ?

Gino ouvrit la bouche, puis la referma aussitôt.

Laura éclata de rire.

— Ça t'apprendra à faire attention à ce que tu dis devant Nikki !

— Pourquoi doit-il faire attention, maman ?

— Finis ton assiette, dit Laura pour éviter de lui répondre.

A son grand soulagement, Nikki n'insista pas et le sujet fut abandonné. Mais une fois la petite fille couchée, Sadie annonça avec une mine ravie :

— Figurez-vous que tout le monde prend des paris à l'usine. La favorite est Tess.

— Tess ? Laquelle est-ce ? demanda Claudia.

— Tu sais bien ! La petite rousse sexy qui ne sait pas marcher sans onduler des hanches.

De ses deux mains, Sadie dessina dans l'air des courbes évoquant un sablier, puis elle ajouta :

— Il paraît qu'elle adore faire la fête. N'est-ce pas, Gino ?

Prenant un air très digne, il répondit avec solennité :

— Mesdames, bien qu'Italien, je suis néanmoins un gentleman. Mes lèvres resteront scellées.

« Si elles savaient ! » se dit-il en réprimant un sourire. En fait, même s'il leur racontait la vérité, elles ne le croiraient pas. Tess était en effet une jeune fille très sexy, à la silhouette voluptueuse et au regard langoureux. Mais sous ces dehors aguichants se dissimulait une femme amoureuse. Il l'avait découvert le jour où elle avait sollicité son aide pour remettre son petit ami dans le droit chemin.

— Je vais tuer Perry ! lui avait-elle confié un matin en lui apportant son thé.

— Je croyais que tu étais folle de lui, avait-il objecté.

— Oui, et c'est justement pour cette raison que j'ai des envies de meurtre. Il est vraiment trop coureur. Cette fois, il a dépassé les bornes. Attention, il arrive ! Souris-moi, s'il te plaît. Et n'hésite surtout pas à mettre le paquet.

Se glissant aussitôt dans le rôle qu'elle venait de lui attribuer, il avait gratifié Tess de son sourire le plus enjôleur, sous le nez de Perry. Depuis, ils avaient renouvelé l'opération chaque fois que nécessaire, et à la grande satisfaction de la jeune fille, Perry avait fait de nets progrès en matière de fidélité.

Cependant, il n'avait pas encore atteint la perfection, si bien que Gino et Tess continuaient de se retrouver régulièrement au pub qui se trouvait en face de l'usine, soit à la sortie du travail, soit plus tard dans la soirée.

— Allons au Running Sheep, suggéra Gino un soir. L'atmosphère y est plus raffinée qu'ici. Avec un peu de chance, ça incitera Perry à t'emmener dans des endroits plus chic, lui aussi.

Leur entrée ne passa pas inaperçue. Partout où elle allait, Tess attirait irrésistiblement les regards. C'était un peu comme un flash-back, songea Gino. Il se trouvait soudain ramené à l'époque où il ne sortait jamais sans un sex-symbol à son bras, différent chaque soir de préférence… C'était une sensation étrange. Cette vie futile ne lui manquait pas le moins du monde.

Après avoir accompagné Tess jusqu'à une table, il gagna le bar et commanda une bouteille de champagne à Laura.

— Laisse-moi deviner le nom de ton invitée, dit-elle avec un sourire mutin. Maisie… Non, Jill. A moins que ça ne soit Rose… Ou alors…

— Stop ! C'est Tess.

— Bien sûr ! J'aurais dû la reconnaître. Elle ressemble trait pour trait au portrait que nous en a fait Sadie. Félicitations ! Je comprends que tu souhaites célébrer dignement cette soirée.

Sans trop savoir pourquoi, Gino fut agacé par l'humeur taquine de Laura.

— Peux-tu te contenter de me donner une bouteille de champagne, s'il te plaît ? dit-il d'un ton plus sec qu'il ne l'aurait voulu.

Visiblement étonnée, elle arqua les sourcils.

— Bien, monsieur !

— Dire que j'ai toujours rêvé d'avoir une sœur ! plaisanta-t-il pour masquer son embarras. Je ne connaissais pas mon bonheur…

Laura lui tendit une bouteille et deux coupes et lui fit un clin d'œil.

— Toutes les femmes ne sont pas aussi pénibles que moi.

— Quelle bonne nouvelle ! Combien te dois-je ?

Le regard tourné vers l'entrée du pub, elle ne répondit pas.

— Laura ?

Elle tressaillit et reporta son attention sur lui.

— Excuse-moi. Que disais-tu ?

— Oh, rien de très original, répliqua-t-il d'un ton pince-sans-rire. Je voulais juste savoir combien je te dois.

Elle lui indiqua un prix. Quand il lui tendit les billets, il constata qu'elle regardait de nouveau ailleurs. Par-dessus son épaule, cette fois…

— Bonsoir, Steve, dit-elle avec un large sourire, tout en prenant son argent. J'arrive tout de suite.

— Prends tout ton temps, répondit une voix grave derrière Gino. Tu sais que pour toi, j'ai toute la patience du monde.

Gino jeta un coup d'œil en biais sur l'homme qui venait de passer derrière lui pour aller se jucher sur un tabouret au bout du bar. Encore lui… Cet homme avait quelque chose d'horripilant. Quoi exactement ? C'était difficile à dire. « Des manières un peu onctueuses, peut-être », songea-t-il en rejoignant Tess.

A la vue de la bouteille de champagne, celle-ci eut un sourire ravi.

— Si seulement Perry pouvait me voir en ce moment ! Tout à l'heure, il m'a invitée à sortir. J'ai refusé en précisant que j'avais d'autres projets. Si tu avais vu le regard qu'il m'a lancé ! Puis il a demandé : « Quels projets ? » et j'ai répondu : « Ça ne te regarde pas » !

Tess eut une moue dubitative.

— Je me demande si j'ai bien fait. Qu'est-ce que tu en penses ? Gino ? *Gino !*

— Excuse-moi.

— C'est agréable de discuter avec toi ! Qu'est-ce que tu as, ce soir ? Pourquoi ne quittes-tu pas la barmaid des yeux ?

— Parce que... je me demande si elle n'a pas fait une erreur en me rendant la monnaie. Mais peu importe. Tu me parlais de Perry.

— Tu crois que j'ai adopté la bonne tactique ?

— Absolument.

Si Tess savait qu'il ignorait tout de la tactique en question..., songea-t-il, un peu honteux.

Mais ce léger remords ne l'empêcha pas de continuer à observer le bar du coin de l'œil.

Steve prenait son verre et, d'un geste, il invitait Laura à boire avec lui. A en juger par leur comportement, il y avait entre eux une grande complicité.

— Je veux le rendre jaloux, mais pas au point de le perdre, poursuivit Tess.

— Bien sûr, c'est délicat.

Laura et Steve riaient, penchés l'un vers l'autre au-dessus du bar. Leurs visages se touchaient presque… Allons bon, que lui prenait-il ? se dit Gino avec perplexité. Pourquoi ne pouvait-il s'empêcher de les épier. C'était insensé !

Reportant son attention sur Tess, il dit la première chose qui lui venait à l'esprit.

— Es-tu vraiment certaine de vouloir poursuivre ta relation avec Perry ? Après tout, s'il est infidèle aujourd'hui, il n'y a pas de raison qu'il change.

— Oh, tous les hommes sont plus ou moins infidèles, non ? répliqua-t-elle, visiblement désabusée. Le type au bar, par exemple. Celui qui drague la barmaid. Eh bien, si ça se trouve, il est marié.

— Tu crois ? ne put s'empêcher de s'exclamer Gino.

Aussitôt, il se morigéna intérieurement. Lui qui avait décidé de ne plus s'occuper de Laura et de son compagnon, c'était réussi…

— De toute façon, c'est leur problème, reprit-il d'un ton légèrement crispé. Buvons plutôt à tes amours.

Le neuvième anniversaire de Nikki approchait. Gino lui fit observer que c'était une date très importante.

— Moins importante que le jour de mes dix ans, objecta-t-elle. Parce que ce sera mon premier anniversaire à deux chiffres.

— Justement. Cette année, ce sera ton dernier anniversaire à un chiffre. Tous les suivants seront à deux chiffres. A moins que tu ne deviennes centenaire, bien sûr, précisa-t-il avec le plus grand sérieux.

Nikki gloussa.

— Cette année, il faut donc fêter ton anniversaire de manière encore plus spéciale que d'habitude, conclut Gino.

Convaincue par ce raisonnement, la petite fille s'empressa d'aller le répéter à chaque pensionnaire.

— Comment fais-tu pour toujours frapper juste avec elle ? demanda Laura à Gino.

Ils discutaient tous les deux dans la cuisine devant une tasse de thé, comme cela leur arrivait souvent en fin de soirée.

Gino haussa les épaules avec modestie.

— Mon frère Rinaldo dirait que c'est parce que j'ai gardé une âme d'enfant. Il aurait sans doute raison.

Il montra à Laura le cadeau qu'il comptait offrir à Nikki. Un luxueux album bilingue sur l'Italie, richement illustré de photos et de reproductions somptueuses.

— Elle va être folle de joie, déclara Laura en le feuilletant.

— Et toi, que vas-tu lui offrir ?

— Une robe et des chaussures dont elle a très envie. Mais ce n'est pas tout.

Elle sortit de la pièce et revint avec un sac dont elle sortit un livre sur les chevaux, ainsi qu'une carte d'anniversaire.

— Je vais lui donner ça de la part de Jack.

— Pardon ? s'exclama Gino, incrédule.

— Je vais écrire sur la carte « de la part de papa ». Comme ça, elle croira qu'il a pensé à elle et elle cessera de se raconter des histoires.

Gino secoua la tête.

— S'il te plaît, ne fais pas ça.

— C'est ce dont elle a le plus besoin !

— Au contraire. La dernière chose dont elle a besoin c'est qu'on l'entretienne dans le mensonge. D'autant plus qu'elle risque fort de ne pas être dupe. Et au lieu de la réconforter, cette carte ne servira qu'à remuer le couteau dans la plaie.

— Pourtant elle sera tellement heureuse si elle croit que son père lui a écrit ! plaida Laura.

— Admettons. Mais dans ce cas, elle va t'assaillir de questions sur lui. Et comme tu seras incapable d'y répondre, tu inventeras encore d'autres mensonges et vous serez prises toutes les deux dans un engrenage infernal.

Au grand dam de Gino, Laura perdit brusquement son sang-froid.

— Ecoute, Gino, merci pour tes conseils, mais Nikki est ma fille, et je pense être la mieux placée pour décider ce qui est bon pour elle, rétorqua-t-elle d'un ton vif.

La mort dans l'âme, il renonça à la convaincre.

— Tu as raison. C'est ta fille et tu la connais mieux que moi. Excuse-moi de m'être mêlé de ce qui ne me regardait pas.

— Non, c'est à moi de te présenter des excuses, répliqua-t-elle aussitôt en se radoucissant. Je suis vraiment très injuste avec toi. Je te suis tellement reconnaissante de tout ce que tu fais pour elle. Depuis ton arrivée, elle est transformée. Mais à vrai dire, je nage en pleine confusion. Il me semblait que cette carte était une bonne idée.

Le matin du grand jour, avant que Nikki soit réveillée, chaque pensionnaire apporta dans la cuisine un cadeau accompagné d'une carte, qu'il déposa sur la table.

— Tout ça pour moi ? s'exclama la petite fille, les yeux brillants, en découvrant les paquets à côté de son bol.

Fébrilement, elle se mit à les ouvrir l'un après l'autre en poussant des cris extasiés, et en pouffant de rire à la lecture de certaines cartes. Sur la dernière, qui accompagnait un livre sur les chevaux, était gravé en lettres dorées : « Joyeux anniversaire à ma fille ».

Elle la retourna et lut ce qui était écrit au verso. « Je pense à toi, ma chérie. Je t'embrasse, papa. »

Aussitôt, elle la lâcha, comme si elle venait de recevoir une décharge électrique.

— Ce n'est pas vrai. Ce n'est pas papa qui l'a envoyée ! s'écria-t-elle, le visage fermé.

— Mais ma chérie..., commença Laura.

— Ce n'est pas lui !

La voix de Nikki tremblait.

— Ce n'est pas papa, répéta-t-elle. Parce que papa est mort. Il est mort !

— Voyons, ma chérie, papa n'est pas mort...

— Si ! C'est pour ça qu'il ne vient jamais me voir. C'est parce qu'il est mort. Il est mort !

Nikki éclata en sanglots et enfouit son visage dans ses bras sur la table.

Le cœur serré, Gino ferma les yeux.

Par discrétion, les autres pensionnaires s'éclipsèrent. Laura, la mine défaite, prit Nikki par les épaules en murmurant :

— Ma chérie, oh, ma chérie... Je suis désolée.

Gino s'apprêtait à quitter la pièce quand il rencontra son regard affolé. Secouant la tête, elle le supplia silencieusement de ne pas s'en aller.

Il hésita. Sans doute était-il préférable que la mère et la fille règlent ce problème entre elles. Mais comment ignorer la supplication dans le regard de Laura et les sanglots désespérés de Nikki ?

Laura caressait tendrement la tête de sa fille.

— Nikki, laisse-moi te dire...

Mais la petite fille se dégagea d'un geste brusque et sauta de sa chaise si vivement que celle-ci se renversa.

— Papa est mort ! hurla-t-elle. Il est mort, il est mort, il est mort ! Et toi, je te déteste !

Laura resta figée, mais un flot de larmes inonda ses joues.

— Papa m'aimait ! poursuivit Nikki. S'il n'était pas mort, il serait là aujourd'hui. Tu es une menteuse et je te déteste !

Tout en criant, elle battait l'air de ses petits poings comme pour se défendre contre le monde entier.

Laura tendit les mains vers elle, mais la fillette s'écarta brusquement, comme si le moindre contact avec sa mère lui était insupportable.

— Nikki, s'il te plaît, supplia Laura.

Pour toute réponse, la petite fille laissa échapper un long gémissement et éclata en sanglots. Toute la souffrance refoulée depuis des années était en train de jaillir avec une violence inouïe.

Epouvanté par l'intensité de sa détresse, Gino réfléchit à toute vitesse. Dans l'état où se trouvait Nikki, des paroles ne lui apporteraient aucun réconfort. Il n'y avait qu'une chose à faire.

S'agenouillant devant elle, il la prit dans ses bras et la serra contre lui, ignorant les coups de poing qui pleuvaient sur sa tête et ses épaules.

Au bout d'un moment, Nikki cessa enfin de résister. Toujours secouée de sanglots, elle noua les bras sur sa nuque et enfouit son visage dans son cou.

— *Povera piccina.*

Se contentant de la serrer contre lui, il la laissa pleurer tout son soûl sans essayer de la calmer. Tenter d'endiguer ce déluge de larmes était inutile. Il fallait le laisser se tarir de lui-même.

Bouleversée, Laura ne les quittait pas des yeux, tout en se fustigeant. Pourquoi n'avait-elle pas écouté Gino ? Et pourquoi était-elle aussi maladroite avec sa propre fille ? Quel gâchis ! Dire qu'elle avait agi dans l'espoir de la réconforter…

Finalement, les pleurs de Nikki s'apaisèrent peu à peu. Epuisée, elle resta encore un long moment immobile, plaquée contre Gino, agrippée à son cou.

— *Piccina ?*

— Oui ?

— Pourrais-tu desserrer un peu les bras, s'il te plaît ? Tu m'étrangles.

Nikki laissa échapper un petit gloussement et relâcha légèrement son étreinte.

C'était le moment de faire passer un message essentiel.

— Ta pauvre maman… Tu lui as fait très peur.

— Je suis désolée.

— Ce n'est rien, ma chérie, assura Laura d'une voix douce.

— Nous en reparlerons plus tard, déclara Gino. Pour l'instant, nous avons quelque chose de très important à faire.

— Quoi ? demanda Nikki avec curiosité.

— Aller à la fête foraine qui a ouvert hier dans le parc. A mon avis, ils l'ont installée là exprès pour ton anniversaire.

Nikki esquissa un sourire. Puis elle quitta les bras de Gino pour aller embrasser Laura.

— Je ne pensais pas ce que j'ai dit, maman… C'est juste que…

— Je sais, ma chérie. Ne t'inquiète pas. Si tu allais te passer de l'eau sur la figure ?

Lorsque sa fille eut quitté la pièce, Laura demanda avec anxiété :

— Faut-il vraiment la laisser prétendre que son père est mort ?

— Ça vaut peut-être mieux. Elle t'a bien fait comprendre que c'était ce qu'elle avait besoin de croire. Tu ne peux pas lui dire qu'elle a raison, mais tu n'es pas obligée de lui faire remarquer qu'elle a tort.

» Laisse passer un peu de temps et tu verras comment évolue la situation. Je pense que tout au fond d'elle-même, elle sait pertinemment que si son père est absent c'est parce qu'il a choisi de l'abandonner. Mais pour l'instant, elle ne se sent pas encore assez forte pour affronter la réalité. Alors pour se protéger, elle préfère prendre un peu de liberté avec celle-ci. Le déclarer mort, c'est considérer que son absence est involontaire.

» Mais je suis sûr que le jour où elle se sentira assez forte, elle finira par regarder la vérité en face et renoncera d'elle-même à ce mensonge.

» Finalement, sa réaction est très saine. Elle dénote un instinct de conservation remarquable. Crois-moi, Nikki s'en sortira très bien.»

Laura le regardait d'un air songeur.

— C'est étrange. A t'entendre parler, on pourrait presque croire que tu as vécu la même expérience.

A vrai dire, c'était le sentiment qu'il avait lui aussi depuis quelques instants, se dit-il. Et pourtant, son enfance n'avait rien à voir avec celle de Nikki…

Tout à coup, il comprit. Comment n'avait-il pas fait le rapprochement plus tôt ? se demanda-t-il, tandis qu'une foule de souvenirs lui revenaient en mémoire.

— Tu as raison. Moi aussi, quand j'étais enfant, je me suis arrangé avec la réalité pour pouvoir survivre à une souffrance insupportable. Même si les circonstances étaient en quelque sorte inverses. J'avais à peu près l'âge de Nikki quand ma mère est morte.

» Pendant longtemps, je n'ai pas voulu y croire. J'étais incapable d'accepter qu'elle soit partie pour toujours. Alors je me suis raconté qu'elle était toujours vivante. J'ai pris l'habitude de parler d'elle à mon père comme si elle allait rentrer à la maison d'un moment à l'autre. Or Papa ne m'a jamais contredit. Il m'a toujours donné la réplique avec le plus grand naturel, comme si ma version des faits était la bonne. Et pourtant se comporter comme si ma mère était toujours vivante devait lui briser le cœur. C'était un homme très généreux. Et très sage.»

Gino se tut, visiblement perdu dans ses souvenirs. Laura attendit un moment avant de demander :

— Quand as-tu fini par trouver la force d'affronter la réalité ?

— Le jour du premier anniversaire de la mort de ma mère, j'ai vu papa et Rinaldo se préparer pour sortir, vêtus de leurs habits du dimanche. Sans que personne ne me dise rien, j'ai su qu'ils se rendaient sur la tombe de maman. J'ai mis moi aussi mes plus beaux habits et je les ai accompagnés. J'étais enfin prêt à admettre la mort de ma mère parce que mon père m'avait laissé choisir le moment.

» Cependant, je reconnais que ça sera sans doute un peu plus difficile pour Nikki que pour moi. Et par conséquent, un peu plus long. L'abandon délibéré est plus difficile à accepter que la mort.»

*
* *

En fin d'après-midi, toute la maisonnée escorta Nikki à la fête foraine, y compris Bert et Fred, qui avaient encore quelques heures de liberté avant de partir travailler.

Gino trouva un stand où l'on vendait d'immenses chapeaux à larges bords. Il en acheta trois. Un pour Laura, un pour lui-même et un pour Nikki, dont la tache fut ainsi habilement masquée.

Tout excitée, la petite fille insista pour essayer les montagnes russes. Prenant Gino par la main, elle l'entraîna fermement.

— Allez, viens.

— Allons bon ! murmura-t-il à Laura. Tu crois que je peux lui avouer que ce genre d'engin me terrorise ? Mon prestige risque d'en prendre un sacré coup… Oui, Nikki, j'arrive !

Un appareil photo à déclenchement automatique, installé sur le parcours en haut d'une pente, prenait des clichés des passagers juste avant la descente la plus vertigineuse. La photo que Gino acheta une fois de retour sur la terre ferme eut un grand succès.

Le contraste entre son air terrorisé et la mine réjouie de Nikki était frappant.

Plus tard, en fin de soirée, alors que Laura et lui buvaient leur rituelle tasse de thé en tête à tête dans la cuisine, Gino déclara avec embarras :

— Laura, si Nikki a tendance à se raccrocher à moi, il ne faut surtout pas que ça te perturbe. Tu…

— Ne dis pas de bêtises ! protesta-t-elle aussitôt. Tu sais bien à quel point je suis heureuse que vous vous entendiez aussi bien. Je ne remercierai jamais assez le destin — ou le hasard, peu importe — qui t'a envoyé à nous.

Subitement elle se leva et déposa un baiser furtif sur ses lèvres.

— Pour te remercier d'être aussi fantastique, murmura-t-elle.

Puis elle quitta la pièce avant qu'il ait le temps de réagir.

« Pour te remercier d'être aussi fantastique. » Désorienté, Gino poussa un soupir et termina sa tasse de thé.

5.

Quelques jours plus tard, en rentrant de l'usine, Gino trouva Nikki plongée dans un catalogue de vente par correspondance.

— C'est celle-ci que je préfère, dit-elle en lui montrant une robe bleue en mousseline de soie. Comment la trouves-tu.

— Tu ne crois pas que tu es un peu jeune pour porter ça ?

— Ce n'est pas pour moi. C'est pour maman. Elle a un rendez-vous.

— Avec qui ?

Nikki gloussa.

— Tu ne sais pas qu'elle a un petit ami ?

— Bien sûr que si, bougonna-t-il. Je l'ai déjà vu.

— Comment est-il ?

— Gros et vieux, répondit Gino.

— Pas du tout, intervint Laura, qui arrivait de la cuisine. Il a quarante-cinq ans. Ce n'est pas vieux.

— Il est gros.

— Gino, arrête de dire des sottises ! Je ne comprends pas ce que tu as contre Steve.

A vrai dire, il ne le comprenait pas vraiment lui-même, reconnut Gino in petto. Pourquoi l'idée que Laura sortait avec cet homme le perturbait-elle ? Après tout, ça ne le concernait pas.

— Cette robe est très jolie, mais j'ai passé l'âge de porter ce genre de modèle, dit Laura à Nikki en regardant le catalogue.

— Mais non, maman ! Tu n'es pas vieille.

— Merci ma chérie, mais j'ai trente-deux ans. Ce qui n'est plus tout jeune.

— Beaucoup trop jeune pour un homme de quarante-cinq ans, en tout cas, marmonna Gino.

— Gino, ça suffit ! s'écria Laura avec un agacement manifeste. Qu'est-ce qui te prend, à la fin ?

Il ne répondit pas. Mais il arbora une mine si déconfite que Nikki vola à son secours.

— Pauvre Gino ! Maman est très sévère avec toi.

— Toi aussi, tu trouves ?

— Pourquoi ?

— Je ne sais pas.

Il poussa un soupir à fendre l'âme.

Nikki passa un bras autour de son cou.

— Moi je ne serai jamais sévère avec toi.

— *Grazie, piccina.* Je me sens beaucoup mieux.

Laura leva les yeux au ciel.

— Vous ne manquez pas de toupet, tous les deux ! Gino, tu ne pourrais pas cesser de faire le pitre, de temps en temps ?

— Impossible ! Tu ne peux pas me demander de lutter contre ma nature profonde.

Se penchant vers Nikki, Gino ajouta :

— Tu as raison, elle est vraiment très sévère avec moi.

Ensemble, ils hochèrent la tête d'un air grave.

Laura ne put s'empêcher de rire. Gino avait vraiment le don de la désarmer !

— Bon, n'en parlons plus. Voyons cette robe de plus près, ma chérie. Combien coûte-t-elle ?

Au même instant, Sadie et Claudia arrivèrent dans le salon. Après examen, elles approuvèrent le choix de Nikki. Quelques minutes plus tard, Mme Baxter émit la même opinion, puis elle ajouta :

— Si je puis me permettre, vous devriez également vous offrir une coupe chez un bon coiffeur, Laura.

Gino réprima un soupir. Que d'histoires pour un rendez-vous !

Après le dîner, alors qu'il aidait Laura à laver la vaisselle, il demanda d'un ton plus agressif qu'il ne l'aurait voulu :

— A quoi joues-tu ? Tu ne vas tout de même pas te mettre en frais pour un ringard pareil.

Elle en suffoqua d'indignation.

— Comment oses-tu le traiter de ringard ? Tu ne le connais même pas !

— Je l'ai vu te baiser la main.

— Et tu trouves ça ringard ? Eh bien moi, je trouve ça raffiné.

Il s'esclaffa.

— Raffiné ! Ça alors, c'est la meilleure !

— Oh, tu n'y connais rien, de toute façon. Il suffit de voir l'allure de ta dulcinée !

Gino ouvrit de grands yeux.

— De qui parles-tu ?

— Tu le sais très bien. Seins en avant, fesses en arrière, c'est la vulgarité personnifiée. Alors épargne-moi tes réflexions idiotes sur mes fréquentations.

Gino se mordit la lèvre. Tess, bien sûr ! Laura l'avait vue en sa compagnie au Running Sheep. Cependant, il avait promis de ne révéler à personne la véritable nature de leur relation et il tiendrait parole… Soudain, il se remémora le commentaire de la jeune fille au sujet de Steve.

— Comprends-moi, dit-il en prenant un ton conciliant. Je veux simplement te mettre en garde pour t'éviter des désillusions. Ce Steve a le profil type de l'homme marié à la recherche d'une aventure.

— Je suis touchée par ta sollicitude, ironisa Laura. Mais rassure-toi, il est veuf.

— C'est ce qu'il dit.

A peine cette repartie lui eut-elle échappé que Gino le regretta. Décidément, il ne se reconnaissait plus. Certes, il lui était déjà arrivé au cours de sa vie de faire preuve de mauvaise foi, mais à ce point-là, jamais ! Il en devenait ridicule. Et Laura avait toutes les raisons d'être exaspérée par son attitude.

Comme en écho à ses pensées, elle ferma la porte de la cuisine pour que personne ne puisse l'entendre, puis elle se planta devant lui, les yeux étincelants.

— Je suis majeure et libre de faire ce qui me plaît ! Il y a une éternité que je n'ai pas passé une soirée dehors, à m'amuser. Si j'ai envie de dîner en compagnie d'un homme charmant — et raffiné — c'est mon droit le plus strict. Tu es prié de ne pas t'en mêler.

Gino leva les mains en signe de capitulation.

— Tu as entièrement raison. Je te promets que tu n'auras plus à subir un seul commentaire de ma part à ce sujet.

Sur ces mots, il ouvrit la porte d'un geste posé et quitta la pièce. Une fois seule, Laura roula rageusement en boule le torchon qu'elle tenait à la main et le lança contre le mur.

Le lendemain matin, elle commanda par téléphone la robe choisie par Nikki. Celle-ci fut livrée deux jours plus tard, et tout le monde — sauf Gino — insista pour la voir sur elle. Elle accepta volontiers de jouer les mannequins.

— Oh maman, comme tu es belle ! s'exclama Nikki en la regardant d'un air subjugué.

Ce cri du cœur fut ponctué d'un murmure d'approbation général, puis Mme Baxter déclara avec autorité :

— A présent, faites-moi le plaisir de prendre immédiatement rendez-vous chez le coiffeur.

Le jour du rendez-vous avec Steve arriva. Dans l'après-midi, Laura prit la voiture pour se rendre chez le coiffeur. Mais quand elle se gara devant la maison à son retour, il pleuvait à verse. Elle resta assise derrière le volant, jetant des regards impuissants par la vitre.

Tous les pensionnaires, qui la guettaient depuis la fenêtre, compatirent.

— Il faut voler à son secours, dit Gino. Je vais aller la chercher avec un parapluie. Nikki, tu restes à la porte et tu la tiens grande ouverte.

Très fière de cette responsabilité, la petite fille prit place dans l'entrée, tandis qu'il s'élançait dehors.

Une fois l'opération terminée, tout le monde se répandit en compliments sur la coiffure de Laura.

— Tu es belle ! s'exclama Nikki en enveloppant sa mère d'un regard ébloui.

Elle avait raison, songea Gino. Laura était en effet magnifique. Comme elle le serait en permanence si elle s'autorisait à penser un peu plus à elle. Et pour une fois qu'elle décidait de s'accorder une soirée de détente, il n'avait rien trouvé de mieux que de l'accabler de critiques stupides… Comment avait-il pu se comporter de manière aussi odieuse ? se demanda-t-il avec confusion.

— C'est vrai, tu es superbe, renchérit-il en souriant.

Elle se tourna vivement vers lui.

— Vraiment ?

Il y avait une pointe d'incertitude dans son regard, constata-t-il. Comme si elle craignait que son compliment ne soit pas sincère...

— Superbe, répéta-t-il fermement. *Bellissima.*

— Merci, répondit-elle avec un sourire ravi qui le bouleversa. Avant de m'habiller, je vais préparer le dîner.

— Pas question ! objecta-t-il d'un ton ferme. Ce serait le meilleur moyen de ruiner l'œuvre du coiffeur. Va plutôt te préparer pendant que je m'en occupe. Des lasagnes, ça convient à tout le monde ? demanda-t-il à la cantonade.

Les pâtes de Gino étaient très prisées de toute la maisonnée et sa proposition fut accueillie par des exclamations enthousiastes. Quand Laura rejoignit ses pensionnaires dans la cuisine à la fin du dîner, elle fut accueillie par un silence impressionnant.

La robe mettait admirablement en valeur sa silhouette longiligne et ses yeux bleus, également soulignés par un maquillage discret. Par ailleurs, il brillait dans ses prunelles une lueur inhabituelle, constata Gino, le souffle coupé par la sensualité qui émanait d'elle.

— Comment me trouvez-vous ? demanda-t-elle en pivotant sur elle-même.

— Tout à fait présentable, rétorqua Gino d'un ton pince-sans-rire.

Cette boutade déclencha un tollé, et chacun s'empressa de gratifier Laura de compliments plus appropriés. Pendant ce temps Gino enfila sa veste.

— Ton carrosse t'attend, Cendrillon, annonça-t-il en s'inclinant devant elle.

Elle arqua les sourcils.

— Que veux-tu dire ?

— Vous avez bien rendez-vous au pub, n'est-ce pas ? Alors je vais t'y conduire. Il ne pleut plus, mais ce n'est pas une raison pour te laisser aller là-bas à pied.

Quand ils arrivèrent devant le Running Sheep, il n'y avait aucune trace du véhicule de Steve. Gino descendit de voiture pour tenir compagnie à Laura.

— En principe, le prince charmant se doit d'être ponctuel, ne put-il s'empêcher de déclarer.

— Ne commence pas, s'il te plaît, dit-elle d'une voix légèrement tendue.

— Je fais juste remarquer que lorsqu'on a rendez-vous avec une dame, la moindre des choses est d'arriver à l'heure. Au moins la première fois.

— Je ne comprends pas pourquoi tu es aussi agressif, depuis quelque temps.

— Je ne suis pas agressif ! protesta-t-il un peu plus vivement qu'il ne l'aurait voulu.

— Bien sûr que si. Et ça dure depuis plusieurs jours. C'est bizarre. Ça ne te ressemble pas.

— Tu ne me connais pas assez pour savoir ce qui me ressemble ou pas. En fait, je suis un monstre de mauvaise humeur.

— C'est étrange que tu aies réussi à le cacher pendant aussi longtemps.

— J'ai maîtrisé mes instincts le temps de me faire accepter. Mais aujourd'hui, je me sens enfin libre de redevenir moi-même. Tu n'es pas au bout de tes surprises.

Laura poussa un soupir.

— Oh, tu es vraiment impossible ! On ne peut pas discuter avec toi quand tu es d'une mauvaise foi aussi flagrante.

— Réjouis-toi, je te laisse. Ton prince vient d'arriver, avec dix minutes de retard et l'air piteux, ce qui est la moindre des choses. Passe une merveilleuse soirée, Laura.

— Merci, répondit-elle en riant.

Puis elle traversa la rue en courant pour rejoindre la luxueuse berline de Steve.

Juste derrière Gino, quelqu'un émit une petite toux discrète.

Il se retourna.

— Oh, bonsoir, Tess. Je ne t'avais pas vue.

— Pas étonnant ! Très intéressante, la scène à laquelle je viens d'assister…

— Que veux-tu dire ?

Croisant les bras, Tess le regarda avec un sourire narquois.

— Tu aurais pu me prévenir que tu étais amoureux.

— Mais enfin, de quoi parles-tu ?

— Inutile de prendre cet air innocent, je n'ai pas perdu une miette de votre conversation.

Il haussa les épaules en levant les yeux au ciel.

— C'est ma logeuse.

— Logeuse ou pas, tu viens de lui faire une scène de jalousie.

— Entrons, éluda-t-il en ouvrant la porte du Running Sheep. Je suis impatient de savoir comment évolue ta vie amoureuse.

Mais Tess était trop fine pour se laisser distraire aussi facilement.

— Et si nous parlions plutôt de la tienne pour changer un peu ? rétorqua-t-elle sans bouger.

— Je n'ai pas de vie amoureuse.

— Pourtant, d'après ce que je viens de voir…

— Entrons ! J'ai besoin d'un verre.

Gino était au comble de l'irritation. Bon sang ! Combien de temps allait-il être obligé de subir les questions idiotes de Tess ? S'il s'écoutait, il la laisserait en plan sur le trottoir et il irait boire une bière ailleurs. Seul. Tranquille. Malheureusement, il avait été trop bien éduqué pour s'autoriser une telle goujaterie...

Toutefois, sa patience ne fut pas mise à trop rude épreuve.

Ce soir-là, Perry avait décidé de remettre de l'ordre dans sa vie. Une dizaine de minutes après que Gino et Tess eurent commencé à boire, il fit irruption dans le pub. Se plantant devant leur table d'un air menaçant, il leur promit les pires représailles si « ce petit jeu » ne cessait pas immédiatement.

Gino convint aussitôt que « ce petit jeu » avait en effet assez duré et il s'éclipsa avec soulagement, laissant Perry triomphant et Tess ravie.

Un peu de marche lui ferait le plus grand bien, décida-t-il. Quand il regagna la maison, beaucoup plus tard, Laura n'était pas encore rentrée. Pourquoi en était-il aussi contrarié ? Il n'y avait aucune raison ! « Allons, mieux valait se calmer et monter se coucher », se dit-il après avoir arpenté nerveusement le salon pendant de longues minutes.

Mais il fut incapable de trouver le sommeil. Malgré lui, il guettait le bruit de la voiture de Steve. Enfin, après une attente qui lui parut interminable, il entendit un véhicule se garer devant la maison.

Il tenta de résister à la tentation, mais ne tint pas plus de deux secondes avant de se lever d'un bond pour se poster à la fenêtre.

L'intérieur de la voiture était éclairé si bien qu'on distinguait nettement les deux occupants. Manifestement, Laura n'était pas pressée de rentrer. La tête renversée en arrière sur le dossier de son siège, visiblement très détendue, elle écoutait Steve.

Tout à coup, ce dernier l'attira vers lui et l'embrassa sur la bouche. Elle ne l'étreignit pas avec fougue, mais elle ne le repoussa pas non plus. Lorsqu'il détacha ses lèvres des siennes, elle effleura sa joue du bout des doigts. Puis ils se dirent au revoir et Laura descendit du véhicule. Elle attendit sur le trottoir que celui-ci ait disparu avant de regagner la maison.

Gino se recoucha. Il entendit la porte d'entrée s'ouvrir et se refermer doucement. Puis plus rien. Au bout d'un moment, incapable de résister plus longtemps, il se releva, enfila un peignoir et descendit pieds nus au rez-de-chaussée. Laura ne l'entendit pas et il put l'observer un instant depuis le hall sans qu'elle se doute de sa présence.

Allongée sur le canapé du salon, les mains jointes derrière la tête, elle était plongée dans une rêverie très agréable, à en juger par le sourire béat qui étirait ses lèvres. Dans la semi-pénombre, son visage semblait illuminé d'une lumière intérieure, constata Gino avec un pincement au cœur. Avait-elle donc apprécié à ce point cette soirée ?

Tout à coup, elle ferma les yeux et laissa échapper un long soupir d'aise. Embarrassé, Gino s'apprêta à faire demi-tour. Il ferait mieux de regagner sa chambre. Visiblement, elle n'avait pas besoin de compagnie. Alors qu'il hésitait, en proie à une indécision inhabituelle, Laura rouvrit les yeux et regarda dans sa direction.

— Coucou ! l'interpella-t-elle gaiement. Ne me dis pas que tu as attendu que je rentre, comme un père inquiet du sort de sa fille ?

— Non. Comme un frère soucieux du bien-être de sa sœur. As-tu passé une bonne soirée ?

— Merveilleuse !

Elle referma les yeux en exhalant de nouveau un petit soupir.

Gino serra les dents. Si seulement elle avait pu éviter de manifester aussi ostensiblement son euphorie...

— Raconte-moi, demanda-t-il d'un ton qui se voulait désinvolte. Où êtes-vous allés ?

— Dans un cabaret. Le dîner était succulent. Ensuite, nous avons dansé.

— Jusqu'à l'aube, comme Cendrillon...

Elle jeta un coup d'œil étonné à sa montre.

— C'est vrai. Je suis incapable de me rappeler quand j'ai dansé toute la nuit pour la dernière fois. Ça fait si longtemps...

— Vas-tu le revoir ?

— On dirait que ça te contrarie.

— Donc, tu vas le revoir.

— Oui, en effet. Oh, Gino, il est tellement attentionné ! Et très sensible. Il m'a parlé de sa femme et de ce qu'il a ressenti quand elle est morte. Il a deux enfants, auxquels il est très attaché. Un garçon et une fille.

— Lui as-tu parlé de Nikki ?

— Bien sûr, mais je préfère attendre un peu avant de tout lui dire. Même si je suis certaine qu'il ferait un très bon père.

Gino sentit sa gorge se nouer.

— Envisages-tu de l'épouser ?

— Il est encore un peu tôt pour y penser sérieusement.

— Mais tu y penses quand même.

— Oui, sans doute. Avant tout, il faut que je le présente à Nikki.

Elle se redressa sur le canapé et l'observa attentivement.

— Oh, Gino, ne fais pas cette tête. Je t'assure que c'est un homme bon et attentionné. Contrairement à ce que tu penses, je suis certaine que tu t'entendras très bien avec lui.

— On verra, commenta-t-il d'un ton bourru. Mais pour l'amour du ciel, réfléchis bien. Ne te précipite pas. Après tout, ce n'est que votre premier rendez-vous.

— Ne t'inquiète pas, je n'ai pas l'intention de brusquer les choses. Mais il y a si longtemps que j'ai envie de fonder une nouvelle famille... Pour Nikki, mais aussi pour moi. Or j'ai le sentiment qu'avec Steve ce rêve peut devenir réalité.

Laura s'étira en bâillant.

— Pour l'instant, Cendrillon ferait bien d'aller dormir un peu. Dans quelques heures, elle reprend le chemin de la cuisine.

Se hissant sur ses pieds, elle se mit à tournoyer lentement sur elle-même au son d'une valse qu'elle était seule à entendre. Mais soudain, emportée par son élan, elle trébucha. Gino se précipita vers elle et glissa un bras autour de sa taille pour la soutenir. Perdue dans sa rêverie, elle se laissa aller contre lui en souriant, les yeux dans le vague.

Décidément, aucun supplice ne lui serait épargné ! songea-t-il en s'efforçant d'ignorer l'éveil de ses sens au contact de ce corps souple et sensuel. Prenant une profonde inspiration, il murmura :

— Hé, Cendrillon, le douzième coup de minuit a sonné depuis longtemps.

— Je veux rester encore un peu au bal, répliqua-t-elle d'une voix endormie.

— Avec le prince charmant « Steve aux grands pieds » ? la taquina-t-il.

— Oh, tu es vraiment trop sévère ! protesta-t-elle avec une moue boudeuse. Il ne m'a écrasé les orteils que deux fois !

Gino ne put s'empêcher de pouffer.

— Allez, Cendrillon, insista-t-il en l'entraînant dans l'escalier. Cette fois, il faut y aller.

Sans la lâcher il la conduisit jusqu'à sa chambre.

— Merci, dit-elle en ouvrant la porte. Mais... où vas-tu ?

La suivant dans la pièce, Gino se dirigea tout droit vers la table de chevet.

— C'est moi qui préparerai le petit déjeuner, annonça-t-il en s'emparant de son réveil. Toi, tu es priée de faire la grasse matinée. Bonne nuit.

Fidèle à sa promesse, il se leva à 7 heures et descendit à la cuisine à pas feutrés.

Une demi-heure plus tard, Nikki le rejoignit sur la pointe des pieds, un doigt sur les lèvres.

Gino servit une tasse de thé et la lui tendit.

— Monte ça à ta maman et dis-lui de rester où elle est. C'est un ordre.

Nikki partit en gloussant. Quand elle revint, elle déclara :

— Maman dit que tu es l'homme le plus tyrannique qu'elle connaisse. Et elle te remercie pour cet excellent thé.

Comme beaucoup d'usines, Computor fermait un mois en été, obligeant tous les employés à prendre leurs congés à la même période. Sadie et Claudia partirent en voyage en France, mais Gino resta à la maison en compagnie de Nikki, elle aussi en vacances.

— Surtout ne la laisse pas t'accaparer, lui recommanda Laura. Sinon, elle ne te laissera pas souffler une seule seconde.

— Ça ne me dérange pas.

— C'est ce que tu prétends, mais je n'en crois pas un mot. Je suis sûre que tu aimerais avoir plus de temps pour toi.

— Tu as tort.

Elle lui jeta un regard aigu.

— Gino, quelle serait la vie idéale, pour toi ? demanda-t-elle impulsivement. Et ne me dis pas que c'est celle que tu mènes en ce moment, je ne te croirai pas.

Il inclina légèrement la tête en fronçant les sourcils.

— *Prego ?*

— Arrête de faire l'idiot ! s'exclama-t-elle en riant.

— Fair-li-dio ? *Non capisco.*

Elle lui lança un coussin à la tête.

— Mais si, tu comprends très bien ! Avoue plutôt que tu ne veux pas répondre à ma question.

— Tu m'as posé une question ?

— Et voilà ! Monsieur recommence à faire le clown. Pourquoi évites-tu systématiquement toute discussion personnelle ?

Le visage de Gino se rembrunit et Laura sentit son cœur se serrer. Il y avait une telle nostalgie dans son regard, tout à coup ! De toute évidence, il ne se remettait pas de son chagrin d'amour. Si seulement il ne se fermait pas comme une huître à chaque fois qu'elle l'incitait à s'épancher... Le voir malheureux lui était insupportable. Et se sentir impuissante devant cette souffrance l'était plus encore.

6.

Gino avait fini par s'habituer à entendre la voiture de Steve s'arrêter devant la maison en pleine nuit. Il ne guettait plus Laura par la fenêtre, mais la rejoignait parfois dans la cuisine. Là, son visage épanoui lui confirmait qu'elle prenait un grand plaisir à ces sorties.

Il aurait dû se réjouir qu'elle semble avoir trouvé un homme à son goût. Alors pourquoi n'y parvenait-il pas ? Etait-ce à cause de la ressemblance frappante qui existait entre Steve et son ex-mari ? Certainement. Il ne voyait pas d'autre explication à ses réticences.

Unc nuit, au momcnt où il sortait dans le couloir, il entendit des voix provenant de la chambre de Nikki.

— Il faut dormir maintenant, ma chérie.

— Tu as vraiment passé une bonne soirée, n'est-ce pas, maman ?

— Excellente. Je te l'ai déjà dit. Dors bien.

— Mais...

— Bonne nuit, l'interrompit Laura en riant.

Elle sortit de la chambre et referma la porte derrière elle.

Elle rejoignit Gino, qui l'attendait en haut des marches et ils descendirent ensemble à la cuisine.

Bientôt, ils n'auraient peut-être plus jamais l'occasion de prendre le thé en tête à tête, songea Gino avec un pincement au cœur en branchant la bouilloire.

Laura était encore plus radieuse qu'à l'accoutumée.

— Tu es particulièrement resplendissante, ce soir, déclara-t-il en prenant un ton désinvolte.

— Oh Gino, je suis heureuse ! J'ai expliqué à Steve le problème de Nikki. Il a réagi exactement comme je l'espérais.

— Fantastique, commenta Gino en espérant que son manque d'enthousiasme n'était pas trop flagrant.

— Si tu savais à quel point je suis…

Laura fut interrompue par le carillon de l'entrée.

— Qui peut bien sonner à cette heure-ci ? marmonna Gino en se levant.

A sa grande surprise, c'était Steve.

— Bonsoir ! dit ce dernier d'un ton enjoué. Vous devez être Gino. Laura m'a parlé de vous.

Il secoua vigoureusement la main de Gino et se glissa dans le couloir avant d'y avoir été invité.

— Laura a oublié son écharpe dans la voiture, poursuivit-il. Dès que je m'en suis aperçu, j'ai fait demi-tour. Coucou, chérie !

Laura, qui arrivait de la cuisine, se jeta dans ses bras avec un sourire ravi.

Au même instant, un bruit de pas léger se fit entendre dans l'escalier.

— Maman, qu'est-ce que… ?

Steve leva les yeux et aperçut Nikki. D'où il se trouvait, Gino le vit détourner vivement le regard en même temps que ses traits se crispaient. « Pas étonnant que Nikki soit soudain devenue muette », songea-t-il, le cœur serré. Cette réaction ne lui avait pas échappé, bien sûr.

Laura, toujours dans les bras de Steve, ne pouvait pas voir son visage. Cependant, elle le sentit se raidir au moment même où Nikki s'interrompait. Elle comprit aussitôt. D'un mouvement vif elle s'écarta de lui, comme s'il venait de la frapper.

En fin de compte, la moins perturbée de tous était Nikki, constata Gino avec admiration. Elle descendit calmement les dernières marches et s'avança vers Steve en le fixant dans les yeux.

— Bonjour, dit-elle d'un ton posé. Je suis Nikki.

— Bonjour Nikki, répondit Steve d'une voix mal assurée.

La petite fille se rapprocha de Gino, lui prit la main et la serra de toutes ses forces.

— Que fais-tu là, petit friponne ? demanda-t-il d'un ton qu'il espérait léger. Tu es censée dormir depuis des heures. Viens. Je te raccompagne là-haut.

Elle le suivit docilement jusqu'à sa chambre sans lui lâcher la main. Une fois qu'il l'eut bordée dans son lit, ils se regardèrent en silence. Il ne fallait surtout pas tenter de la consoler en lui débitant de pieux mensonges, comprit Gino. Ce serait faire injure à son intelligence.

Il la prit dans ses bras et la serra contre lui. Quelques instants plus tard Laura entra dans la pièce. A en juger par ses yeux gonflés, elle avait pleuré.

— Voilà ta maman, dit Gino d'une voix douce à l'oreille de Nikki.

Celle-ci ne bougea pas.

— Nikki ? insista-t-il.

Seul le bruit régulier de sa respiration lui répondit.

— Elle s'est endormie, dit-il à Laura.

Avec précaution, ils l'allongèrent et la bordèrent, puis ils quittèrent la pièce.

— Comment vas-tu ? demanda Gino.

— Ça va, répondit-elle d'une voix qui manquait de conviction.

— Tu as besoin d'un remontant. Suis-moi.

Il l'entraîna jusqu'à sa chambre. De la penderie, il sortit une bouteille de chianti.

— Je l'ai achetée un jour où j'avais le mal du pays, expliqua-t-il en l'ouvrant.

Il remplit un verre et le lui tendit.

— Tiens. Ça te fera beaucoup plus de bien que toutes les paroles réconfortantes du monde.

Laura s'assit sur le bord du lit et but une gorgée de vin.

— Merci. Tu as raison, ça fait du bien. Et de toute façon, il n'y a rien à dire. Je ne veux plus jamais rien avoir affaire avec lui. Ce qui tombe bien, parce que je n'en entendrai plus parler.

— Que s'est-il passé quand vous vous êtes retrouvés seuls ?

— Il y a d'abord eu un grand silence. Je lui en voulais tellement d'avoir blessé Nikki, que la seule chose dont j'étais capable, c'était de le toiser avec mépris. Et lui, bien sûr, fuyait mon regard. Puis il s'est brusquement souvenu qu'il n'était pas libre vendredi et que nous ne pourrions donc pas nous voir ce soir-là, comme prévu.

— Oh, vraiment ? ironisa Gino.

Laura eut un sourire désabusé.

— Toujours sans me regarder, il a ajouté qu'il m'appellerait pour convenir d'un autre rendez-vous. Bien sûr, il ne le fera pas. Et de toute façon, même s'il appelait, je refuserais de le revoir. Comment ai-je pu me tromper à ce point à son sujet ?

— Tu avais sans doute trop envie de croire en votre histoire.

— Sans doute. Comment ai-je pu être aussi stupide ?

— Avoir envie d'être aimé n'est pas stupide. Nous en sommes tous là.

— Peut-être, mais de là à être aussi aveugle !

— Etais-tu... très amoureuse de lui ?

Laura réfléchit un instant avant de répondre.

— Je ne sais pas. Je le croyais, mais à présent je ne ressens plus que de la colère. Et j'ai du mal à croire que j'ai pu éprouver le moindre sentiment pour lui...

Elle poussa un profond soupir. Gino s'assit à côté d'elle.

— Il te reste ton petit frère. Tu sais que tu peux compter sur lui quoi qu'il arrive.

Elle eut un petit rire tremblant.

— Pauvre Gino ! D'abord Nikki. A présent, moi...

— Allons, allons. Il n'y a pas de « pauvre Gino », d'accord ? Encore un peu de chianti ?

— Il ne vaut mieux pas. Je vais aller me coucher.

— Bonne idée. Tu te sentiras mieux demain matin, affirma-t-il avec une assurance qu'il était loin de ressentir. Viens, je te raccompagne jusqu'à ta chambre.

— Merci, Gino, dit-elle une fois devant sa porte. Merci pour Nikki et merci pour moi. Bonne nuit.

— Bonne nuit.

Après qu'elle eut refermé la porte, Gino hésita un moment dans le couloir. Peut-être aurait-il dû inciter Laura à s'épancher plus longuement ? Soudain, il l'entendit pleurer. « Mieux valait la laisser seule », décida-t-il.

*
* *

Comme elle l'avait prédit, Steve ne rappela pas Laura. Il ne remit plus les pieds au pub non plus et personne ne fit plus jamais allusion à lui.

Les soirs où Laura travaillait, Gino prit l'habitude de passer au Running Sheep un peu avant la fermeture, le temps de boire une bière avant de la raccompagner.

— Merci, dit-elle un soir à brûle-pourpoint alors qu'ils marchaient dans la rue.

— Pourquoi ? demanda-t-il, surpris.

— Pour tout.

Après un instant de silence, elle demanda :

— Qu'est-il arrivé à ta petite amie ? Tu ne la vois plus ?

— Elle a trouvé un homme qui lui convenait mieux et je lui ai galamment rendu sa liberté.

— Tu es sûr que ce n'est pas toi qui l'as laissé tomber ?

— Evidemment ! s'indigna-t-il. Je suis un vrai gentleman. J'attends toujours que ce soient les femmes qui prennent l'initiative de la rupture.

Laura lui jeta un coup d'œil en biais. A en juger par son sourire malicieux, il plaisantait, comprit-elle, rassurée. Curieusement, il ne semblait y avoir aucune amertume dans cette boutade. Le souvenir d'Alex ne serait-il plus aussi présent dans son esprit ?

Lorsqu'ils arrivèrent à la maison, un message attendait Laura à côté du téléphone.

« Appeler Mark. »

— Qui est Mark ? demanda Gino.

— Un ami, répondit-elle, évasive. Tu veux bien préparer le thé ?

— Tu vas finir par me transformer en véritable Anglais, marmonna-t-il en se dirigeant vers la cuisine.

Le lendemain matin au petit déjeuner, elle annonça qu'elle serait absente toute la soirée.

— Je croyais que tu ne travaillais pas, aujourd'hui, s'étonna Gino.

— Non, en effet, mais il faut que je sorte.

— Tu as un rendez-vous ?

— Non, pas vraiment. Il faut juste que je sorte.

— Avec Mark ?

— Ce que tu peux être curieux ! éluda-t-elle en souriant. Sers-moi plutôt un thé, s'il te plaît. Madame Baxter, vous serez là ce soir, n'est-ce pas ?

— Oui, ne vous inquiétez pas. Je m'occuperai de Nikki.

— C'est gentil, merci.

Laura but son thé et quitta la pièce.

— C'est toujours la même chose, marmonna Mme Baxter. A chaque fois que Mark téléphone elle sort, mais elle ne veut jamais dire où elle va.

— Bizarre, commenta Gino, songeur. Ça ne lui ressemble pas.

Le soir, malgré tous ses efforts, il ne parvint pas à en savoir plus.

— Je vais te conduire, proposa-t-il quand elle fut prête à sortir.

— Merci, mais conduire ne me dérange pas, répliqua-t-elle d'un ton léger.

— Où puis-je te contacter en cas d'urgence ?

— Sur mon portable, bien sûr.

— Bien sûr...

— Bonne soirée, Gino ! dit-elle en l'embrassant sur la joue.

Puis elle sortit, le laissant seul dans le hall, vexé malgré lui par son refus de lui avouer son secret.

— Claudia et Sadie rentrent de vacances ce soir, annonça Nikki alors qu'il regagnait la cuisine.

— Oui mais tard dans la nuit, lui rappela Mme Baxter.

— Et demain matin, tout le monde reprend le travail, commenta Gino. Quelle perspective exaltante ! Mon Dieu ! Qu'est-ce que c'est que ça ?

— Un gâteau aux noix, répondit Mme Baxter qui venait de sortir une boîte du placard. Je l'ai acheté cet après-midi.

— C'est délicieux, intervint Nikki. Il y a plein de sortes de noix différentes dedans.

Ils passèrent une soirée agréable. Mme Baxter, qui avait beaucoup voyagé en compagnie de son défunt mari militaire, possédait tout un stock d'anecdotes amusantes à raconter. Tout à coup, elle jeta un coup d'œil à Nikki, qui étouffait un bâillement.

— Il est l'heure d'aller te coucher, tu ne crois pas ?

Nikki hocha la tête sans protester et monta dans sa chambre. Quand Gino redescendit après l'avoir bordée dans son lit, Mme Baxter sortit une bouteille de sherry.

— Tenez, prenez un verre avec votre gâteau. Vous ne l'avez pas encore goûté, fit-elle observer.

— J'étais si captivé par vos histoires que j'en ai oublié de manger. Vous en avez encore d'aussi drôles ?

Avant que Mme Baxter ait le temps de répondre, son téléphone portable sonna. Gino la vit pâlir en écoutant son interlocuteur.

— Oui... oui... J'arrive tout de suite.

— Que se passe-t-il ? demanda-t-il quand elle eut raccroché.

— C'était mon fils. Ma belle-fille va accoucher avec un mois d'avance et il semble que ça ne se présente pas très bien. Il faut que je les rejoigne au plus vite.

— Je vous appelle un taxi pendant que vous vous préparez. Et ne vous inquiétez pas pour Nikki, je reste là pour veiller sur elle.

Quelques minutes plus tard, Gino accompagna Mme Baxter jusqu'au taxi et prit congé d'elle en lui prodiguant tous ses vœux.

De retour dans la cuisine, il dégusta sa tranche de gâteau. Nikki avait raison. C'était délicieux. Il n'hésita que quelques secondes avant de se resservir. Après tout, rien ne l'empêchait d'en racheter un demain pour les autres.

Alors qu'il s'apprêtait à se couper une troisième tranche, il prit conscience d'un phénomène étrange. Le gâteau bougeait… Non, en fait il changeait de taille… Il devenait énorme, comme un ballon qu'on serait en train de gonfler ! Gino tendit la main pour toucher le gâteau, mais celui-ci rétrécit brusquement et sa main se referma sur le vide.

Au même moment il fut pris de nausée, tandis qu'une douleur vive lui vrillait les tempes et que sa gorge s'asséchait brusquement.

En suffoquant, il se leva et renversa sa chaise. Il tenta désespérément d'aspirer de l'air, mais ne parvint qu'à émettre un bruit étrange. Il déchira sa chemise, mais n'en éprouva aucun apaisement. C'était comme si une poigne d'acier lui serrait le cou de plus en plus fort. Jamais il n'avait eu une sensation aussi horrible…

Quand sa tête heurta le sol, il comprit qu'il était tombé. Sans même s'en rendre compte ! Et voilà qu'à présent les meubles se penchaient sur lui d'un air menaçant…

Il fallait absolument qu'il parvienne à atteindre le téléphone dans le hall pour appeler de l'aide. Si seulement ses membres n'étaient pas lestés de plomb ! L'effort à fournir pour les bouger était colossal…

Péniblement, il se traîna sur le sol, centimètre par centimètre. Le martèlement qui résonnait dans sa tête devenait assourdissant.

« Il fallait tenir coûte que coûte », songea-t-il confusément. S'il perdait conscience, il ne se réveillerait jamais... Un voile noir lui tomba sur les yeux et toute perception l'abandonna.

Soudain, un cri le ramena à lui.

— Papa ! Papa !

Il sentit qu'on le secouait. Le brouillard se dissipa légèrement. Allons bon, voilà qu'il avait des hallucinations ! Un lapin rose était penché sur lui. En compagnie d'un lapin bleu...

— Papa !

Soudain, le visage de Nikki lui apparut, mouillé de larmes. Les lapins se trouvaient sur son pyjama, se rappela-t-il. Bien sûr... Mais que faisait-elle là alors qu'elle devrait être en train de dormir dans son lit ? Laura allait être contrariée qu'il laisse sa fille veiller si tard. Cependant, il ne reverrait pas Laura... Il était en train de mourir. C'était une évidence.

Nikki disparut de son champ de vision, mais il l'entendit vaguement crier de loin.

— Une ambulance ! Mon papa est en train de mourir !

Jamais il n'avait eu autant de mal à respirer. Bientôt, tout serait fini. Dommage... Nikki était de nouveau penchée sur lui. Elle pleurait.

— Ils arrivent, mais ils ont dit qu'il fallait que tu restes calme. Il ne faut surtout pas que tu essaies d'aspirer beaucoup d'air, c'est très mauvais. Respire doucement... doucement...

« De quoi parlait-elle ? » se demanda Gino. Ce qu'elle disait n'avait aucun sens. Doucement ou pas, il ne parvenait pas du tout à respirer. Mais peu à peu, la voix de la petite fille l'apaisa. Malgré lui il cessa de lutter et, les yeux fixés sur elle, il sentit ses dernières forces l'abandonner.

Dans le lointain, une sonnerie retentissait… puis des voix… des étrangers vêtus de vert et de jaune pénétraient dans la cuisine… Ils s'agenouillaient près de lui. Nikki leur parlait d'une voix entrecoupée de sanglots. Quelqu'un lui posait un masque sur le visage…

A son retour, Laura trouva la maison vide et un mot sur la table de la cuisine, rédigé sur un papier à en-tête du service médical d'urgence. « Votre mari a été transporté à l'hôpital Canning. Votre fille l'a accompagné. »

Heureusement, les routes étaient désertes. Même dans sa vieille guimbarde, il ne fallut que quelques minutes à Laura pour arriver sur place. Dès qu'elle pénétra dans le service des urgences, elle aperçut Nikki. La petite fille se jeta dans ses bras en sanglotant.

— Que s'est-il passé ? demanda Laura, que l'incertitude rendait folle.

— Il semble que votre mari ait eu une crise d'allergie, répondit une voix derrière elle.

Laura se retourna vivement.

— Mon… ?

— Il faudra nous indiquer son nom, interrompit le médecin. Votre petite fille a seulement dit « papa » quand elle a appelé l'ambulance.

— C'est toi qui as… appelé l'ambulance ? bredouilla Laura en fixant sa fille avec stupéfaction.

— J'ai été réveillée par un grand bruit au rez-de-chaussée, alors je suis descendue. Il était par terre, il n'arrivait plus à respirer et il était tout rouge…

— Sa gorge était si enflée qu'il était au bord de l'asphyxie, expliqua le médecin. Votre fille a fait preuve d'un sang-froid remarquable.

— La dame au téléphone m'a dit d'essayer de le calmer, reprit Nikki. Alors j'ai essayé, mais je ne sais pas si ça a marché.

— Tu as fait exactement ce qu'il fallait, assura le médecin.

— Est-ce qu'il va... se remettre ? demanda anxieusement Laura.

— Il a de grandes chances de s'en sortir. La piqûre que je lui ai faite semble produire son effet. Cependant, si je connaissais la nature exacte de son allergie, ça m'aiderait beaucoup.

Laura eut un geste d'impuissance.

— Je n'ai aucune idée...

— Il était en train de manger du gâteau aux noix, expliqua Nikki. Je le sais parce qu'il en avait un morceau dans la main.

— S'il était allergique aux noix, il devait le savoir et n'en aurait pas mangé, commenta le médecin. Sans doute y avait-il autre chose dans ce gâteau.

— Puis-je le voir ? demanda Laura, hébétée.

— Oui, bien sûr. En revanche, il vaut peut-être mieux que votre fille s'abstienne. Il est un peu impressionnant avec tous ses tubes.

— Je veux le voir ! protesta Nikki d'un air buté.

— Je ne pense pas qu'il soit plus impressionnant que quand elle l'a trouvé par terre, fit valoir Laura. Après tout, vous avez dit vous-même qu'elle avait fait preuve d'un sang-froid remarquable, et je pense qu'elle a besoin de le voir.

Malgré tout, Laura reçut un choc en voyant Gino. Seigneur ! Ce visage tuméfié et ce tube qui sortait de son cou… « Cependant, c'était justement ce tube qui lui permettait de respirer », se raisonna-t-elle en se mordant les lèvres pour réprimer son émotion.

Au même instant, Gino ouvrit les yeux. Ses lèvres gonflées remuèrent mais aucun son ne sortit de sa gorge.

— Ne dis rien, pria-t-elle aussitôt. Je sais ce qui s'est passé. Nikki m'a tout raconté.

— Nikki, articula silencieusement Gino.

— C'est elle qui t'a trouvé et qui a appelé l'ambulance.

— Elle a dit… rester calme…

Les yeux de Gino se fermèrent. Manifestement, l'effort qu'il venait de fournir l'avait épuisé.

Nikki monta sur les genoux de Laura et, serrées l'une contre l'autre, elles restèrent un long moment à le contempler en silence. Passé le premier choc, Laura prenait peu à peu conscience de la catastrophe qui avait failli se produire. Gino avait frôlé la mort !

— Va-t-il se remettre ? demanda-t-elle à une infirmière venue prendre sa tension.

— Son rétablissement est en bonne voie. Si son état continue à s'améliorer à ce rythme, nous pourrons enlever les tubes dès demain.

— Dans ce cas, je reviendrai demain.

— Oh, non, maman ! protesta Nikki.

— Il faut rentrer à la maison, ma chérie.

— Mais si nous ne restons pas auprès de lui il risque de mourir.

— Non.

La voix de Gino était rauque, mais distincte. Il regardait Nikki avec intensité.

— Pas mourir, chuchota-t-il. Grâce… à… toi.

— Il a besoin de dormir, dit Laura à Nikki. Nous reviendrons demain.

Mais Nikki avait une dernière chose à faire avant de partir. Evitant soigneusement les tubes elle s'approcha de Gino et l'embrassa sur la joue.

— Bonne nuit, dit-elle.

— Bonne nuit, *piccina*.

Il ferma les yeux. Lorsqu'il les rouvrit quelques instants plus tard, il ne restait plus que l'infirmière à son chevet.

— Votre fille a un sacré caractère, déclara-t-elle. Vous devez être très fier d'elle.

Il fronça les sourcils. Avait-il bien entendu ? L'infirmière avait-elle vraiment dit « votre fille » ? Trop épuisé pour réfléchir, il sombra dans un sommeil agité.

A leur retour, Laura et Nikki trouvèrent Sadie et Claudia dans le hall. Arrivées depuis quelques minutes, elles n'avaient pas encore enlevé leurs manteaux.

— Nous étions en train de nous demander pourquoi la maison nous paraissait vide, dit Sadie.

Quand Laura leur raconta ce qui s'était passé, elles poussèrent des exclamations horrifiées. Puis, une fois rassurées sur l'état de Gino, elles félicitèrent chaleureusement Nikki pour sa présence d'esprit.

— Maintenant, il est temps de se recoucher, décréta Laura.

Une fois dans son lit, Nikki demanda :

— Il va guérir, n'est-ce pas ?

— Oui. Il va déjà beaucoup mieux, répondit Laura en la bordant. Ma chérie, leur as-tu vraiment dit que c'était ton papa ?

— Je me souviens juste d'avoir dit qu'il était en train d'étouffer et d'avoir donné notre adresse. Pour le reste je ne sais plus.

— Ma chérie, il ne faut pas considérer Gino comme ton père, dit Laura d'une voix douce.

— C'est juste que... Tu ne trouves pas que ça serait bien si... ?

Le cœur de Laura se serra douloureusement.

— Ce n'est pas possible, mon ange. Il ne faut pas faire des rêves impossibles. Gino ne sera jamais ton père. C'est ton meilleur ami et c'est déjà beaucoup.

— Toi aussi, c'est ton meilleur ami, n'est-ce pas ?

— Oui et j'espère qu'il le restera toujours. Mais sa vie n'est pas avec nous et ne le sera jamais.

— Pourtant, ça serait si bien, murmura Nikki en se blottissant sous les couvertures.

Puis elle ferma les yeux.

— Oui, chuchota Laura.

Elle tint la main de Nikki jusqu'à ce que celle-ci s'endorme. Alors qu'elle se glissait hors de la chambre, elle entendit le téléphone sonner au rez-de-chaussée.

Quand elle arriva en bas, Claudia, qui avait décroché, lui tendit le combiné d'un air affolé.

— C'est l'hôpital. Apparemment, ils vous prennent pour la femme de Gino et ils veulent que vous retourniez à son chevet de toute urgence. Son état s'est brusquement aggravé et ils craignent le pire.

7.

Comme c'était bon d'être de retour chez soi ! Les couleurs éclatantes de la Toscane lui avaient tellement manqué... Et sa famille lui avait manqué bien plus encore. Son père, exubérant et débordant d'amour. Et son frère Rinaldo, qui sous des dehors bourrus était lui aussi un homme de cœur.

Pourquoi donc les avait-ils quittés ?

Soudain, Gino se rendit compte que rien n'était tout à fait comme dans son souvenir. Lui qui se réjouissait de rentrer chez lui, il se sentait complètement dépaysé... Où se trouvait son père ? Il promena un regard perplexe autour de lui. Même la ferme avait disparu.

Au lieu de la grande maison qu'il aimait tant et des vignes qui l'entouraient, on ne voyait qu'un paysage aride. Et au milieu de ce désert hostile se déroulaient des funérailles.

Rinaldo était là, le visage crispé par le chagrin. Non, ce n'était pas du chagrin, mais de la colère. Pourquoi son frère était-il aussi furieux ? Et cette jeune femme blonde qui les regardait tous les deux, de l'autre côté de la fosse ouverte, qui était-ce ? Il devait certainement la connaître. Alors pourquoi était-il incapable de mettre un nom sur son visage ?

Des voix inquiètes lui parvinrent vaguement, comme à travers un mur épais.

— Sa température a brutalement remonté. Ça n'aurait pas dû se produire.

Non, ça n'aurait pas dû se produire. Il n'aurait pas dû tomber amoureux d'Alex, parce que quand ils avaient joué à pile ou face, c'était Rinaldo qui avait gagné. Mais Rinaldo n'avait pas voulu d'elle. Du moins pas au début…

A présent, il reconnaissait la jeune femme qui les observait, de l'autre côté de la tombe. C'était Alex. La femme qui avait illuminé sa vie avant de le plonger dans le désespoir.

Quand elle était arrivée en Toscane, ils avaient passé la journée ensemble. Après lui avoir montré Florence, il l'avait emmenée dans la campagne pour une promenade à cheval. C'était un des plus beaux souvenirs qu'il gardait d'elle. A côté de lui, sur son cheval, elle riait dans la lumière éblouissante du soleil. Ce soleil dont il sentait la chaleur ardente le consumer en ce moment même…

Très vite, Alex la londonienne avait succombé au charme de la Toscane, devenant italienne dans l'âme.

Et lui, Gino le séducteur, était tombé fou amoureux d'elle. Pour la première fois de sa vie, il avait éprouvé pour une femme un amour absolu, qui l'avait métamorphosé.

Alex était la femme de sa vie et après elle aucune autre ne pourrait jamais plus l'émouvoir. Cette certitude l'avait empli d'une joie indicible, qu'il avait vue se refléter dans les yeux d'Alex. Du moins l'avait-il cru. Jusqu'au moment où il l'avait trouvée dans le lit de son frère…

Gino tressaillit. Non ! Ce souvenir était trop douloureux ! Il ne supporterait pas de le revivre encore une fois. Mais sa mémoire, implacable, lui présenta nettement l'image des deux corps enlacés. Comme si elle cherchait à attirer son attention sur un détail qui lui avait échappé. Un détail essentiel, dont il devait à tout prix comprendre la signification s'il voulait pouvoir un jour retrouver la sérénité…

Mais voilà que le visage d'Alex se superposait à cette vision. Ses contours étaient flous... Estompés. Comme si une brume légère venait de voiler le soleil de Toscane. Pourquoi le regardait-elle de cet air si anxieux ? Et si triste aussi... Comme le jour de leur dernière rencontre. Pas celui de son mariage avec Rinaldo, bien sûr. Le jour où ils s'étaient vus en tête à tête pour la dernière fois.

« Soyez maudits tous les deux ! » s'était-il écrié dans sa douleur, après qu'elle lui eut expliqué qu'elle n'avait jamais pris son amour au sérieux. Il avait reconnu qu'au début c'était en effet un jeu. « Mais très vite, je me suis aperçu que j'étais amoureux de toi. »

C'était ce qu'il lui avait dit ce jour-là et il fallait qu'il le lui répète aujourd'hui. Mais curieusement, il ne parvenait pas à parler. Pourquoi avait-il la gorge aussi sèche ? Il fallait pourtant qu'il lui dise à tout prix qu'il l'aimait.

— Gino... Gino...

— *Carissima...*

— Gino, essaie de te réveiller... regarde-moi, s'il te plaît...

— J'ai toujours aimé... te regarder, murmura-t-il en pressant la main qui tenait la sienne. Te souviens-tu... nos promenades à cheval ? Tu étais si belle...

Elle resta silencieuse et immobile.

— J'avais envie de te prendre dans mes bras, poursuivit-il dans un souffle. Je t'aimais tant.

— Vraiment ? chuchota-t-elle.

Etait-ce un effet de son imagination exaltée ou bien y avait-il réellement une pointe de nostalgie dans sa voix ? se demanda-t-il confusément.

— Tu ne l'as jamais su, mais je pensais à toi jour et nuit. Tous ces rêves que je faisais... Je n'oserais jamais te les raconter.

— Tu pourrais essayer, dit-elle d'une voix douce.

— Tu vas m'en vouloir. Je rêvais que je te serrais contre moi, nue… nous faisions l'amour… Je n'avais pas le droit d'avoir de telles pensées…

— Tu ne dois pas te sentir coupable. L'amour ne se commande pas.

— C'est vrai. Il m'était impossible de ne pas t'aimer, et dans mes rêves je te jurais un amour éternel. Je sais que je ne dois plus jamais te parler ainsi, mais il faut que tu saches que j'étais sincère. Cet amour vit toujours et ne s'éteindra jamais. Je ne peux pas passer ma vie avec toi, mais ça ne m'empêchera pas de la passer à t'aimer.

A travers la brume, il la vit secouer la tête.

— Il est temps d'oublier et d'aimer à nouveau.

— Tu ne comprends pas. Comment pourrais-je aimer à nouveau, alors que j'ai trouvé la femme idéale ?

— Personne n'est idéal. Il existe quelque part une autre femme tout aussi digne d'amour.

— Pas pour moi.

— Mais si. Suppose que tu rencontres une femme prête à te rendre tout l'amour que tu lui donnerais. N'as-tu pas envie de vivre un amour partagé ?

— Oui, bien sûr. Mais seulement avec toi. *Amore mio. Per tutta la vita*, murmura-t-il en portant à ses lèvres la main qui tenait la sienne.

Cette main s'arracha à sa bouche d'un geste vif, comme si ce contact lui était insupportable. Simultanément, le visage flou penché sur lui s'évanouit, et la brume se dissipa, vaincue par les couleurs vives de la Toscane. Il était de nouveau seul sous le soleil implacable…

Mais si le soleil brillait, pourquoi avait-il la sensation d'être pris dans un tourbillon ? Quelle était cette tempête qui faisait rage sans obscurcir le ciel ?

Pendant un moment qui lui parut interminable, Gino lutta contre le vent qui menaçait de l'emporter. Puis peu à peu, la chaleur diminua. Les couleurs de la Toscane perdirent graduellement leur éclat pour se transformer en tons pastel. La réalité reprit le dessus et il se réveilla dans le décor aseptisé d'une chambre d'hôpital.

Il vit d'abord les murs vert pâle, le pied du lit, puis à côté de lui, une machine qui émettait des bips. Pourquoi son cou était-il aussi douloureux ? Tournant lentement la tête, il vit Laura. Debout devant la fenêtre, elle regardait dehors.

— Bonjour, parvint-il à articuler péniblement d'une voix qui restait rauque malgré l'absence du tube, qu'on lui avait enlevé.

Elle se tourna vers lui et lui sourit. Son visage était pâle et ses traits tirés.

— Bonjour, répondit-elle sobrement. Je vais chercher quelqu'un.

Avant qu'il ait le temps de réagir, elle avait quitté la pièce.

— Il est revenu à lui, l'entendit-il déclarer dans le couloir.

Il y eut un bruit de pas, puis une infirmière apparut, un sourire de soulagement aux lèvres.

— Voilà qui est mieux. On peut dire que vous nous avez causé une grande frayeur.

— Pourquoi ? Que s'est-il passé ?

— Alors que nous vous pensions définitivement hors de danger, votre température a brusquement monté en flèche et vous vous êtes mis à délirer. Alors nous avons décidé de rappeler votre femme. Mais à présent, tout semble rentré dans l'ordre. Je vais quand même vérifier que vous n'avez plus de fièvre.

Après les contrôles de routine, l'infirmière les laissa seuls. Pourquoi Laura semblait-elle si distante ? se demanda Gino avec perplexité. Pourquoi s'obstinait-elle à regarder par la fenêtre ?

— Es-tu là depuis longtemps ? demanda-t-il.

— Depuis le milieu de la nuit. Ils m'ont appelée parce que Nikki leur avait dit que... tu étais son père. Ils en ont conclu que nous étions mariés ou...

— J'avais deviné.

— Dans mon affolement je ne les ai pas détrompés, d'autant plus que ça simplifiait les choses.

— Oui. Je suis heureux qu'ils t'aient appelée. Je n'aurais pas aimé mourir seul.

— Tu ne vas pas mourir, Gino.

— Non, plus maintenant. Mais je suis conscient que j'ai bien failli.

Laura hocha la tête.

— Oui, tout le monde a eu très peur. Veux-tu que je prévienne ta famille ?

Il resta silencieux.

— Donne-moi un numéro de téléphone, suggéra-t-elle.

— C'est inutile. Je suis tiré d'affaire, à présent.

— Mais suppose qu'il y ait de nouveau une urgence ? Comment ferais-je pour les joindre ?

— J'ai un carnet d'adresses dans ma chambre. Mais pour l'instant, tu n'as aucune raison de t'en servir.

Si la voix de Gino était faible, son ton ne souffrait pas la réplique, constata Laura. Insister ne servirait à rien.

— Comme tu veux. Comment te sens-tu ?

— Harassé. J'ai terriblement mal à la gorge. Un peu comme si j'avais mangé des oursins sans prendre la peine de les ouvrir. Quant à mon cerveau, j'ai l'impression qu'il est en bouillie.

— C'est normal. Ton accès de fièvre a duré un bon moment.

— Etais-tu là quand j'ai déliré ? demanda-t-il, le regard fuyant.

— Oui.

— Est-ce que j'ai... beaucoup parlé ?

— Oui, mais ne me demande pas de te faire un compte-rendu. Je ne comprends pas l'italien.

« Apparemment, ce détail le rassurait », se dit-elle. Il semblait plus détendu, tout à coup.

— Dans ce cas, je n'ai rien dit qui puisse te choquer, je suppose.

— Non, bien sûr.

Il eut un sourire charmeur.

— Je me demandais si c'était parce que je t'avais offensée que tu étais aussi distante.

Il tendit la main. Après une légère hésitation, elle s'approcha et la prit dans la sienne. Puis elle s'assit avec précaution au bord du lit.

— Quelle heure est-il ? demanda-t-il.

— 7 heures. J'aimerais rentrer avant que Nikki se réveille, pour qu'elle ne s'aperçoive pas que je me suis absentée. Je ne veux pas l'inquiéter inutilement.

— Tu as raison.

Il lui pressa la main.

— Pauvre Laura. A cause de moi, tu n'as pas dormi de la nuit, et à présent tu es obligée d'enchaîner sur une journée de travail. Tu dois maudire le jour où tu m'as rencontré.

— Tu sais bien que non. S'il t'était arrivé quelque chose...

— Oui, je sais. Ça aurait été terrible pour Nikki. Dis-lui que je vais bien, grâce à elle.

— Je n'y manquerai pas. A plus tard.

*
* *

Laura arriva à la maison quelques minutes avant que Nikki se réveille. A voix basse, elle fit un résumé de la situation aux pensionnaires, qui promirent de ne rien révéler à la petite fille. Quand celle-ci dévala l'escalier en réclamant des nouvelles de Gino, Laura lui répondit qu'elle avait appelé l'hôpital et qu'on lui avait assuré qu'il était sauvé.

— Nous irons le voir ce soir, d'accord ? lança Nikki en prenant son petit déjeuner.

— D'accord, promit Laura.

Peu à peu, tout le monde quitta la maison. Nikki et Mme Baxter partirent pour l'école, Sadie et Claudia pour l'usine. Laura entreprit de faire le ménage, mais dans la chambre de Sadie, elle s'interrompit. La tentation était si grande...

Sa pensionnaire, qui avait acheté un ordinateur à prix coûtant à l'usine, lui avait montré comment s'en servir en lui précisant qu'il était à son entière disposition. Pourquoi ne pas en profiter ?

Sur Internet, elle chercha fébrilement un site de traduction. Puis, les mains tremblantes, elle tapa *per tutta la vita*. Heureusement, elle se souvenait parfaitement de ces mots. Ils étaient gravés dans sa mémoire.

La traduction s'afficha. « Pour toute la vie. »

« *Amore mio, per tutta la vita.* » avait dit Gino. « Mon amour, pour toute la vie. »

Mais c'était à Alex qu'il s'adressait. Pas à elle... Elle l'avait bien compris quand il pressait sa main pendant son délire. Certes, il parlait en la regardant, mais ce n'était pas elle qu'il voyait. C'était à la femme de sa vie qu'il avait ouvert son cœur, lui disant des mots d'amour qu'il ne destinerait jamais qu'à elle seule.

Il s'était exprimé dans un mélange d'italien et d'anglais. Si certaines parties de son discours lui avaient échappé, elle en avait compris assez pour être bouleversée. Elle avait éprouvé une immense compassion pour cet homme torturé par un rêve impossible, alors qu'il se trouvait entre la vie et la mort sur un lit d'hôpital.

Même si à sa compassion se mêlait un autre sentiment… Pourquoi lui avait-elle parlé d'une femme prête à lui rendre son amour ? Les mots étaient sortis d'eux-mêmes de sa bouche.

Elle éteignit l'ordinateur et se remit au ménage. Mais tandis qu'elle accomplissait machinalement ses tâches quotidiennes, les pensées se bousculaient dans son esprit.

Après le départ de Laura, Gino resta perplexe. Pourquoi avait-il l'impression étrange d'osciller entre deux mondes ? C'était lié à un détail qui l'avait frappé tout récemment, mais lequel ? Impossible de s'en souvenir. Décidément, il avait le cerveau en bouillie…

Il passa le reste de la journée à dormir entre deux visites des médecins, qui procédèrent à divers examens et lui confirmèrent qu'il était en voie de guérison. Cependant, il devrait rester hospitalisé encore quelques jours.

Quand le soir arriva, il décida de se lever, malgré la fatigue qui l'accablait toujours. Faire bonne figure devant Nikki pour la rassurer était primordial. Il lui devait bien ça.

Après s'être mis péniblement debout, il réussit à se traîner jusqu'au fauteuil. Dans son peignoir en éponge et avec autour du cou l'écharpe que lui avait prêtée une infirmière pour masquer son pansement, il devait avoir une apparence à peu près normale, se dit-il avec satisfaction.

Quand Nikki entra dans la chambre, il lui ouvrit les bras. Elle courut s'y blottir, tandis que Laura, attendrie par ce spectacle, s'installait dans le deuxième fauteuil en souriant.

— Tu es sûr que tu vas vraiment, vraiment bien ? demanda Nikki.

— Vraiment, vraiment.

— Regarde ce que je t'ai apporté, dit-elle en plongeant la main dans un sac en plastique.

Elle en sortit Simon, le chien en peluche qu'elle lui avait offert le premier jour.

— Nikki ! protesta Laura en riant. Gino ne peut pas garder Simon avec lui à l'hôpital.

— Bien sûr que si, affirma-t-il aussitôt. Simon est mon ami. Sa place est auprès de moi.

Il posa la peluche bien en évidence sur la table de chevet, à la grande joie de Nikki, qui s'empressa de lui raconter sa journée par le menu. Il l'écouta avec plaisir sans l'interrompre jusqu'à ce qu'elle s'exclame :

— Maman, est-ce que... ?

— Chut, coupa-t-il à voix basse. Je crois qu'elle s'est endormie.

Affaissée sur son siège, les yeux fermés, Laura respirait régulièrement.

— Il ne faut pas la réveiller, ajouta-t-il. Elle travaille tellement qu'elle doit être très fatiguée.

Nikki hocha gravement la tête.

— Aujourd'hui, elle a pleuré.

Gino tressaillit.

— Quoi ?

— Quand je suis entrée dans la cuisine en revenant de l'école, je l'ai vue mettre son mouchoir dans sa poche et elle avait les yeux rouges.

— T'a-t-elle dit quelque chose ?

Nikki secoua la tête.

— Maman se cache toujours pour pleurer.

— Ça ne m'étonne pas, murmura Gino pour lui-même. A qui pourrait-elle se confier ?

— A toi. Elle te dit tout.

Il secoua la tête.

— Non, pas tout. Il y a beaucoup de choses qu'elle pense devoir garder pour elle.

— Pourquoi ?

— Parce qu'elle est très courageuse et qu'elle veut se débrouiller toute seule. En tout cas, pour l'instant il faut la laisser dormir. Je ne t'ai pas encore remerciée de m'avoir sauvé la vie. Raconte-moi tout.

Très fière, Nikki s'exécuta. Au bout d'un moment, une infirmière vint les informer que les visites étaient bientôt terminées.

— Faut-il que je réveille maman ? demanda Nikki à Gino.

— Non, je vais le faire.

Il se leva lentement et vacilla sur ses jambes. S'appuyant sur Nikki, il alla s'asseoir sur le lit, en face de Laura.

— Réveille-toi, dit-il d'une voix douce en posant une main sur son bras.

Elle ne broncha pas. Pas de doute, elle était exténuée. Il l'observa attentivement. Son visage était d'une pâleur inquiétante.

— Travaille-t-elle, ce soir ? demanda-t-il à Nikki.

— Non.

— Parfait. Prends bien soin d'elle et assure-toi qu'elle se couche tôt.

— Compte sur moi, promit Nikki d'un ton solennel.

— Réveille-toi, Laura, dit-il de nouveau en la secouant doucement par les épaules.

Elle ouvrit les yeux.

— Coucou, murmura-t-il en souriant. Il faut te réveiller. Nikki va te ramener à la maison.

Elle laissa échapper un petit rire.

— C'est Nikki qui va me ramener ?

— Oui. Et elle m'a promis de veiller à ce que tu te couches tôt.

Nikki tendit la main à sa mère.

— Viens, maman.

Laura se leva et elles partirent main dans la main après avoir souhaité une bonne nuit à Gino.

Pensif, il se recoucha.

Le lendemain soir, ce fut Sadie qui amena Nikki à l'hôpital.

— Maman a été obligée d'aller travailler, expliqua la petite fille.

— Au Running Sheep ?

— Non, répliqua Sadie. Dans un autre pub, dont le propriétaire est un certain Mark.

— Oh, lui ! ronchonna Gino. Je me souviens. Il a appelé l'autre soir.

— Laura travaille pour lui de temps en temps comme extra. Il a appelé ce matin pour dire qu'il avait besoin d'elle ce soir.

— Quel est le nom de ce pub ?

— Aucune idée. Laura n'en parle jamais. Avant que j'oublie, je dois vous transmettre les vœux de tous vos collègues. Le responsable du service a tenu à préciser que vous n'aviez pas à vous inquiéter pour votre poste. Ce qui n'est pas très surprenant, étant donné que vous abattez le travail de deux employés pour le salaire d'un seul !

— De toute façon, je serai bientôt sorti d'ici.

— Mais vous ne pourrez pas reprendre le travail tout de suite. Vous n'allez pas récupérer en quelques jours, vous savez. Vous avez été rudement secoué.

— C'est vrai, acquiesça-t-il dans un murmure. Et pas seulement physiquement...

Le lendemain, Laura vint seule, à l'heure du déjeuner.

— Nikki est à l'école et je suis venue en coup de vent pour m'excuser de m'être endormie avant-hier.

— T'excuser ? C'est un comble ! Tu m'as veillé une nuit entière. Que ce soit envers ta fille ou envers toi, j'ai une dette énorme que je vais avoir bien du mal à rembourser.

— C'est plutôt nous qui remboursons la dette que nous avons envers toi.

Il secoua la tête.

— Nikki m'a sauvé la vie. Il faut absolument que je trouve un moyen de la remercier. As-tu une idée d'un cadeau qui lui ferait vraiment plaisir ?

Après un silence qui parut interminable à Gino, Laura finit par murmurer :

— Oui.

— Qu'est-ce que c'est ? Dis-le moi vite. C'est comme si elle l'avait déjà.

— Ce n'est peut-être pas aussi simple, répondit Laura d'une voix hésitante. Qu'es-tu prêt à faire pour Nikki ?

— Tout ce qu'elle désire. Non seulement je l'adore, mais elle m'a sauvé la vie, bon sang !

— Es-tu certain d'être prêt à lui donner ce qu'elle désire le plus au monde ?

« Pourquoi Laura faisait-elle tant de mystère ? » se demanda Gino, intrigué. Et pourquoi semblait-elle si embarrassée ?

— Bien sûr ! Mais pour cela, il faudrait d'abord que je sache ce que c'est.

— Tu le sais. Elle nous l'a dit à sa manière le soir où elle t'a sauvé la vie. Souviens-toi. Quand elle a appelé les secours, elle a dit que c'était pour son père. Son souhait le plus cher, c'est que tu deviennes son père, Gino.

— Mais comment pourrais-je… ?

Laura prit une profonde inspiration.

— En te mariant avec sa mère. Gino, je te demande de m'épouser. Pour Nikki.

Gino resta muet de stupeur.

— Ne réponds pas pour l'instant, s'empressa d'ajouter Laura. Laisse-moi d'abord t'expliquer.

— M'expliquer ?

— Oui. Rassure-toi, je n'envisage pas un vrai mariage : nous ne serions mari et femme que sur le papier. Et tu ne perdrais pas ta liberté. A condition que Nikki n'en sache rien, tu pourrais mener ta vie de ton côté et avoir des aventures. De ma part, tu n'aurais à craindre aucune jalousie. Je ne te poserais jamais de questions.

Abasourdi, Gino avait du mal à mettre de l'ordre dans ses idées.

— Je… Ça ne me paraît pas un arrangement très avantageux pour toi, objecta-t-il.

— La seule chose qui m'importe c'est le bonheur de Nikki. Puisque ce mariage la rendrait heureuse, je serais comblée.

Il l'observa un long moment avant de demander d'une voix douce :

— N'attends-tu rien de la vie pour toi-même ?

— J'en attendais beaucoup autrefois, et regarde où ça m'a menée. Quand on n'obtient pas ce qu'on désire, il faut savoir se contenter de ce qui se présente.

Les yeux baissés, Gino resta silencieux. Précipitamment, Laura ajouta :

— Je sais que je suis plus vieille que toi, mais…

Il ne put s'empêcher de sourire.

— Trois ans d'écart, c'est énorme !

— Je voulais juste préciser que tu n'as pas à craindre que je provoque ta gêne en tombant stupidement amoureuse de toi.

— Ce serait stupide, en effet, commenta-t-il avec dérision.

— Complètement. Tu peux avoir l'esprit tranquille à ce sujet. Je ne te mettrai jamais dans une situation aussi embarrassante.

— Tu sembles bien sûre de toi.

— Absolument. De même que je suis sûre que tu ne tomberas pas amoureux de moi, puisque tu aimes toujours Alex.

— Qu'est-ce qui te fait dire ça ? s'exclama Gino, de plus en plus stupéfait.

— Parce que pendant ton délire, tu as mentionné son nom plusieurs fois.

— Quand je parlais en italien ?

— Oui. C'est le seul mot que j'ai compris. Son prénom. Et j'en ai déduit tout naturellement que…

— Laura…

— Même si dans quelques années tu finis par guérir de cet amour et que tu rencontres une femme que tu souhaites épouser, il nous suffira de divorcer. Je te promets que je ne m'y opposerai pas.

Gino secoua la tête. Décidément, cette conversation était surréaliste…

— Je suis un peu perdu, avoua-t-il. A quoi bon se marier

si c'est pour divorcer ? Ne serait-ce pas une désillusion de plus pour Nikki ?

— Non. Parce que si nous divorcions, tu cesserais d'être mon mari, mais pas son père. De cela aussi, je suis certaine. Tu ne l'abandonnerais pas comme Jack l'a fait.

— Grands Dieux, Laura ! Nous ne sommes même pas encore mariés que tu prévois déjà notre divorce ! As-tu déjà choisi ma prochaine épouse, également ?

— Je sais que ça peut paraître un peu étrange.

— Un peu ?

— Gino, je veux juste que tu comprennes que je ne cherche surtout pas à te piéger. Mon seul objectif, c'est le bonheur de Nikki.

— Et Steve ? demanda-t-il après un instant de silence.

— Qui est-ce ? plaisanta-t-elle.

— Et suppose que je ne veuille jamais divorcer ? Suppose que tu sois obligée de me supporter même après que Nikki sera partie vivre sa vie ?

— Peu importe. C'est maintenant qu'elle a besoin d'un père et c'est toi qu'elle a choisi.

Laura laissa échapper un petit rire avant d'ajouter :

— Et si je suis obligée de te supporter pendant des années, eh bien, tant pis ! J'accepte de prendre le risque.

— Suppose que je passe mon temps à courir les filles ?

— Aucun problème, du moment que tu es là quand Nikki rentre de l'école. Et si de temps en temps tu veux découcher, nous nous mettrons d'accord sur une excuse plausible à lui donner pour ton absence et…

— Laura, par pitié ! protesta-t-il, mi-amusé, mi-agacé.

— Je veux juste te faire comprendre que tu resteras libre comme l'air.

— Si je décide de m'engager vis-à-vis d'une femme et d'une enfant, je pense que je perdrai quand même un peu de ma liberté, tu ne crois pas ? fit-il valoir d'un ton posé.

Elle soupira.

— Tu as raison. Ma proposition est absurde. Oublie-la, s'il te plaît. Je suis tellement obnubilée par le bonheur de Nikki que j'en deviens stupide. Il faut que je file à présent.

— Pas si vite, dit-il en la retenant par la main. Je ne t'ai pas encore donné ma réponse.

— Je viens de te demander d'oublier ma proposition, rétorqua-t-elle précipitamment.

— Dommage. J'étais sur le point d'accepter.

Laura tressaillit.

— Pardon ?

D'une voix soudain très claire, Gino déclara :

— J'accepte ta proposition. Marions-nous dès que possible.

8.

Gino sortit de l'hôpital trois jours plus tard. Le soir même, Laura et lui annoncèrent à Nikki qu'ils avaient décidé de se marier.

— Tu vas vraiment devenir mon papa ? s'exclama la petite fille en sautant au cou de Gino.

— Oui.

La cérémonie aurait lieu trois semaines plus tard à la mairie, en présence de tous les pensionnaires.

Le samedi suivant, Gino, Laura et Nikki passèrent l'après-midi à courir les boutiques pour acheter la tenue de la mariée. Laura se décida pour une robe ivoire de coupe sobre, facile à remettre par la suite. Elle choisit également un chapeau à bord baissé orné de fleurs blanches, et prit le même pour Nikki.

La petite fille ne se lassait pas de s'admirer dans le miroir.

— Ça va être le plus beau jour de notre vie ! répétait-elle, extasiée.

— Tu sais, en nous voyant ensemble, les gens peuvent vraiment nous prendre pour un père et sa fille, déclara Gino en souriant. Nous avons les mêmes cheveux et les mêmes yeux. Dans le fond, la seule chose qui nous différencie, c'est le chapeau, ajouta-t-il avec un clin d'œil.

Mais Nikki sourit à peine.

— En réalité, ce n'est pas la seule chose, n'est-ce pas ? dit-elle en le regardant droit dans les yeux.

Sous le regard embué de larmes de Laura, Gino souleva délicatement le chapeau de Nikki et embrassa celle-ci sur le front.

— Même si nous ne sommes pas exactement pareils, je suis certain que beaucoup de gens te prennent déjà pour ma fille et j'en suis très flatté.

Voyant s'illuminer le visage de l'enfant, Laura fut rassurée. En demandant à Gino de l'épouser, elle ne s'était pas trompée. Ce mariage était le plus beau cadeau qu'ils pouvaient offrir à Nikki.

Cependant, si c'était la principale motivation de sa demande en mariage, ce n'était pas la seule. Il fallait bien reconnaître qu'il y en avait une autre, enfouie au plus profond d'elle-même. Mais pour l'instant, mieux valait ne pas trop s'y attarder…

Dans une salle des ventes, ils trouvèrent un lit à une place, qu'ils installèrent à côté de celui de Laura. Elle dégagea ensuite de l'espace dans sa penderie.

— Ma garde-robe n'est pas très fournie, mais ne t'inquiète pas, je vais acheter un costume pour le mariage, déclara Gino. A part ça, il y a un point important dont nous n'avons pas encore discuté.

Le cœur de Laura se mit à battre la chamade.

— Lequel ? demanda-t-elle d'un ton qu'elle espérait désinvolte. Je croyais que nous avions pensé à tout.

— Nous n'avons pas défini mon rôle dans cette maison. A présent que je ne suis plus tout à fait un pensionnaire comme les autres, je tiens à participer aux tâches quotidiennes. En dehors du bricolage, il y a des tas de domaines dans lesquels je peux me rendre utile. La cuisine, par exemple.

Pour l'instant je n'ai mis la main à la pâte qu'occasionnellement, mais il n'y a pas de raison que je continue à ce rythme. Je peux me charger du dîner et du petit déjeuner, par exemple. Qu'en penses-tu ? Ça te permettrait de faire la grasse matinée.

— Si tu y tiens vraiment, j'accepte avec plaisir, répondit-elle en s'efforçant de sourire.

Même si ce n'était pas exactement la proposition qu'elle espérait... Ça lui apprendrait à nourrir de vains espoirs, songea-t-elle avec dérision.

— Au fait, et ta famille ? Va-t-elle venir d'Italie ? demanda-t-elle alors qu'ils quittaient la chambre après avoir fini de ranger.

— Non. Viens voir, je vais te faire une nouvelle démonstration de mes talents culinaires.

Sur ces paroles, il descendit l'escalier d'un pas rapide. De toute évidence, sa famille restait un sujet tabou, songea Laura avec un pincement au cœur.

Quelques jours plus tard, devant le maire d'Elvetham, Gino et Laura devenaient mari et femme.

A la sortie, Sadie, munie d'un appareil photo numérique, enchaîna les clichés. Les mariés seuls, visiblement intimidés. Puis les mariés avec Nikki, rayonnant de joie. Puis Nikki et son nouveau père, main dans la main. Laura sentit se dissiper ses derniers doutes. Rien que pour le sourire radieux de sa fille, le pari audacieux qu'elle venait de faire valait la peine.

Quelle différence avec son premier mariage ! Ce jour-là elle portait une somptueuse robe blanche en satin avec un voile de dentelle. Après une cérémonie solennelle à l'église, une centaine d'invités appartenant pour la plupart au monde du spectacle avaient assisté à une réception très select dans un grand hôtel londonien. Elle était bien loin d'imaginer les désillusions qui suivraient…

Une fois la séance de photos terminée, la petite troupe regagna la maison pour déguster le gâteau en sablant le champagne, cadeaux respectifs de Claudia et de Mme Baxter, qui était revenue avec d'excellentes nouvelles de son petit-fils.

Le soir de son premier mariage, Laura s'était envolée pour les Caraïbes en compagnie d'un homme dont elle était follement éprise et qui l'adorait. Ils avaient passé la plus grande partie de leur lune de miel à faire l'amour, extasiés par leur bonheur et l'avenir prometteur qui s'ouvrait devant eux.

Le soir de son second mariage, Laura travailla au pub, où son mari vint la chercher en fin de soirée. Ils rentrèrent à pied, puis il prépara du thé, qu'ils burent dans la cuisine en discutant de tout et de rien. Avant de gagner leur chambre, ils jetèrent un coup d'œil sur leur fille endormie. Puis ils se couchèrent, chacun dans son lit, éteignirent la lumière et restèrent immobiles, les yeux ouverts sur l'obscurité.

Au bout d'un moment, Gino se redressa sur un coude et tendit l'oreille. Apparemment, Laura dormait. Il se leva, s'assit devant la fenêtre et souleva un coin du rideau. Au bout de cette rue, se trouvait le parc dans lequel sa vie avait pris un tournant imprévisible.

Aussi incroyable que cela pût paraître, il avait fini par franchir le pas ! songea-t-il avec ironie. Gino le séducteur venait de faire un mariage de raison parce que l'amour lui était désormais interdit.

Bien sûr, Laura avait été surprise qu'il accepte aussi rapidement sa proposition. Mais curieusement, celle-ci avait trouvé un écho en lui. Il était vrai qu'elle lui avait facilité les choses, en énonçant clairement les termes du contrat.

Bien qu'elle s'en soit défendue, il était évident qu'elle aimait toujours Steve Dayton. Lui-même était uniquement un père pour sa fille. Or ce rôle lui convenait très bien.

Depuis son départ de Toscane, il était à la dérive. La proposition de Laura était une occasion inespérée de redonner un sens à sa vie. Certes, la passion était à tout jamais bannie de son existence, mais il lui restait encore beaucoup d'affection à offrir à une petite fille qui avait cruellement besoin d'un père.

« Me voilà casé pour la vie, songea-t-il avec un sourire désabusé. Demain, j'achète une pipe et des pantoufles. »

Il resta assis devant la fenêtre jusqu'aux premières lueurs de l'aube, puis se recoucha après avoir déposé un baiser sur le front de son épouse.

Laura resta parfaitement immobile, s'efforçant de respirer régulièrement comme elle l'avait fait toute la nuit. Aucun des mouvements de Gino ne lui avait échappé. Malheureusement, ses pensées lui restaient inaccessibles...

Dire que jusqu'à la dernière minute, elle avait gardé l'espoir qu'il finirait par la prendre dans ses bras en s'exclamant que leur arrangement était stupide, que c'était leur nuit de noces et qu'il allait lui faire l'amour...

Elle réprima un soupir. Allons, il fallait être raisonnable... Cela faisait des années qu'elle était raisonnable. Pourquoi était-ce si difficile, tout à coup ?

A la grande joie de Nikki, un cirque arriva en ville. Et à la grande surprise de tous, Claudia et Sadie annoncèrent que c'était leur spectacle favori.

— Uniquement quand il n'y a pas d'animaux, bien entendu, précisa gravement Claudia.

— Nous nous sommes renseignées. Dans celui-ci, il n'y a que des acrobates et des clowns, intervint Sadie. Nous pourrions emmener Nikki avec nous, si elle en a envie.

Le samedi soir, elles quittèrent donc la maison toutes les trois, aussi excitées les unes que les autres. Mme Baxter se trouvait chez son fils, où elle donnait un coup de main aux jeunes parents débordés. Quant à Bert et Fred, ils étaient comme d'habitude à leur travail, si bien qu'un calme inhabituel régnait sur la maison.

Laura, qui se réjouissait de dîner en tête à tête avec Gino, croisa les doigts quand le téléphone sonna. Pourvu qu'un imprévu ne lui gâche pas la soirée !

— Je réponds, dit Gino en gagnant le hall.

— Est-ce que Laura est là ? s'enquit une voix masculine quand il eut décroché.

— Qui la demande ?

— C'est Mark.

Allons bon, dans l'agitation des derniers jours, il avait complètement oublié de demander à Laura qui était ce mystérieux Mark, songea aussitôt Gino. Le moment semblait venu…

— J'ai besoin de lui parler de toute urgence, insista la voix à l'autre bout du fil. Est-elle là ?

Gino crispa la mâchoire.

— Je vais la chercher. Au fait, je suis son mari.

Au même instant, Laura arriva de la cuisine, les sourcils arqués.

— C'est Mark, dit Gino.

Puis il ajouta d'un ton lourd de sous-entendus :

— Il a besoin de te parler de toute urgence.

Elle lui prit le combiné des mains.

— Bonsoir, Mark. Que se passe-t-il ?

Il y eut une pause, pendant laquelle Gino manifesta par un regard appuyé qu'il exigerait des explications dès la fin de la conversation.

— Ce soir ? demanda soudain Laura. Tu n'as vraiment personne d'autre ? Très bien, j'arrive. Où dois-je aller ? Tu ne peux pas me donner plus de précisions ? Sexy à quel point ? Dentelle noire. D'accord. Je te rejoins là-bas.

Quand elle raccrocha, Gino déclara d'un ton pince-sans-rire :

— Je sais bien que notre mariage n'a rien de conventionnel, mais ne crois-tu pas que tu pousses un peu loin le non-conformisme ?

— Que veux-tu dire ?

— Je veux dire, *Signora Farnese*, que la perspective de voir mon épouse rejoindre en courant un homme qui vient de lui demander expressément de porter de la dentelle noire ne me réjouit pas outre mesure.

— C'est parfaitement innocent.

— Excuse-moi, mais j'attends une explication un peu plus précise.

Laura réprima un mouvement d'humeur. Jamais Gino ne lui avait parlé sur ce ton ! Pour qui se prenait-il, tout à coup ?

— Je n'ai aucune explication à te fournir, rétorqua-t-elle d'un ton vif. Nous avons passé un accord...

— Celui-ci ne t'autorise pas à te payer ma tête, interrompit-il sèchement. Si ce rendez-vous est si innocent, pourquoi tout ce mystère ?

— Parce que ça ne te regarde pas.

— Tout ce que fait ma femme me regarde.

Laura poussa un soupir. Mieux valait capituler. De toute évidence, il ne la laisserait pas tranquille tant qu'il n'aurait pas obtenu les réponses qu'il attendait.

— C'est un rendez-vous professionnel. Pour un job qui me permet d'arrondir les fins de mois.

— Oh, très intéressant ! persifla-t-il. Je suis curieux de savoir en quoi consiste exactement ce « job ».

— Ça n'est pas très différent de mon travail au pub.

— Dans ce cas, pourquoi es-tu si réticente à en parler à ton mari.

— Cesse de répéter sans arrêt que tu es mon mari ! C'est ridicule !

— Vraiment ? Il me semble pourtant que nous nous sommes mariés, il n'y a pas si longtemps. Aurais-tu déjà oublié ?

— Très drôle ! Puisque tu y tiens, Mark est un ami que j'ai connu à l'époque où je dansais. Aujourd'hui, il dirige une agence spécialisée dans l'animation de soirées.

Laura s'interrompit. « Avec un peu de chance, il ne lui demanderait pas d'entrer dans les détails », se dit-elle sans grande conviction. La voix dangereusement suave de Gino lui confirma qu'elle ne s'en tirerait pas aussi facilement.

— Continue.

— Je joue des sortes de sketchs destinés à piéger l'un des invités. Par exemple, je me fais passer pour une policière venue procéder à une arrestation et au dernier moment, je souhaite un joyeux anniversaire à l'invité en question, de la part de toute l'assemblée.

— Que vient faire la dentelle noire là-dedans ?

— Eh bien..., à la fin du sketch j'enlève mon uniforme et...

— Tu fais du strip-tease ? coupa-t-il, visiblement indigné.

— Pas exactement, c'est plutôt...

— Te déshabilles-tu complètement ?

— Mais non ! Ce n'est pas vraiment du strip-tease.

Il eut un sourire sarcastique.

— Excuse-moi, mais j'ai du mal à saisir la nuance.

— Je termine mon numéro en dessous.

— De dentelle noire, je suppose ?

— Ce soir, oui, en effet.

— Et les autres fois ?

— Ça dépend.

— Est-ce Mark qui te fournit ta tenue ?

— Seulement le déguisement. Les dessous sont à moi. Ils sont très corrects et je ne dévoile pas grand-chose.

— Laura, ne me dis pas que tu es naïve à ce point ! Tu te déshabilles devant des hommes et tu prétends ne pas faire de strip-tease ? Ecoute-moi bien : il est hors de question que tu continues. Je ne veux pas que ma femme s'exhibe à moitié nue en public.

» Et ne m'objecte pas que nous ne sommes pas vraiment mariés parce que tu es bel et bien ma femme, que tu le veuilles ou non. Souviens-toi que je suis Italien. Mon sens de l'honneur m'interdit de te laisser commettre une telle *infamia* ! »

Laura l'observait avec intérêt. Elle se doutait bien qu'il n'apprécierait pas le travail qu'elle faisait pour Mark, mais jamais elle n'aurait imaginé qu'il entrerait dans une fureur pareille. C'était la première fois qu'elle le voyait en colère et le spectacle était impressionnant. Il arpentait le hall à grands pas en gesticulant comme un diable, tandis que ses yeux étincelaient de rage. Toutefois, il n'était pas question de le laisser faire la loi.

— Peu m'importe ce que t'interdit ton sens de l'honneur. Nous sommes au XXIe siècle et tu n'as aucune autorité sur moi. Je suis libre de faire ce qui me plaît.

— Je ne veux pas que tu ailles à ce rendez-vous.

— J'irai quand même. J'ai donné ma parole à Mark et mon sens de l'honneur me dicte de tenir mon engagement.

Elle soutint sans ciller le regard noir de Gino. Tout à coup, il pivota sur lui-même, marmonnant quelques mots en italien. « Sans doute un juron », songea-t-elle, amusée, tandis qu'il quittait la maison de manière théâtrale.

Elle attendit un moment, puis regarda dehors. Aucun signe de lui. « Il devait être dans le parc », se dit-elle en traversant la rue. Elle le trouva assis sur le banc sur lequel il dormait le jour de leur rencontre.

Mains jointes et tête baissée, il fixait le sol. A son approche il leva la tête, puis la baissa de nouveau d'un mouvement vif.

— Va-t'en, grommela-t-il quand elle s'assit à côté de lui. Laisse-moi bouder en paix.

« Si son sens de l'humour reprenait le dessus, c'était bon signe », se dit-elle en réprimant un sourire. Cependant, cela ne répondait pas à la question qu'elle se posait depuis le début de sa crise. Etait-il jaloux, par hasard ?

— C'est la première fois que je te vois te mettre en colère, déclara-t-elle d'un ton neutre.

— C'est la première fois que je suis confronté à ton inconscience.

— C'est aussi la dernière fois. En fait, ça fait un moment que je pense à arrêter. Ce soir, je préviendrai à Mark qu'il ne faudra plus compter sur moi.

— Et tu t'imagines que ça va suffire à me rassurer ?

— Oh, tu me fatigues ! De toute façon, je n'ai plus le temps de discuter. Il faut que je me prépare.

Se levant d'un bond, elle s'éloigna à grands pas. Gino allait-il lui courir après pour la retenir ? Non, à en juger par le silence, il n'avait pas bougé...

Une fois de retour dans sa chambre, elle ouvrit le tiroir dans lequel elle rangeait les tenues réservées à ce genre d'occasion. Dentelle noire et satin noir ou bien dentelle noire et satin rouge ? « Satin rouge », décida-t-elle.

Du rez-de-chaussée, lui parvint le bruit qu'elle attendait. La porte d'entrée qui se refermait, des pas précipités dans l'escalier...

Les pas s'arrêtèrent sur le seuil de la chambre et la porte s'ouvrit. Gino entra, referma la porte derrière lui et s'y adossa, la mine renfrognée.

— Est-ce ta tenue de travail ? demanda-t-il d'une voix méprisante en indiquant les dessous étalés sur le lit.

— Oui, répliqua-t-elle avec une désinvolture délibérée. Je me prépare pour ma dernière représentation, qui se déroulera sans incident, exactement comme toutes celles qui...

— Oh non, pas exactement, coupa-t-il d'un ton sec. Je serai là et je surveillerai le moindre de tes mouvements.

Laura fut submergée par une bouffée d'indignation.

— Tu n'as pas confiance en moi ?

— C'est en eux que je n'ai pas confiance.

— Gino, je ne pense pas que ce soit une bonne idée.

— Je ne t'ai pas demandé ton avis. Je t'ai juste informée de mes intentions. Je vais te conduire à ton rendez-vous et je t'attendrai sur place. J'en profiterai pour informer Mark que c'est la dernière fois que tu travailles pour lui.

Laura se mordit la lèvre. Dire qu'elle l'avait cru calmé...

— Je suis parfaitement capable de le lui dire moi-même.

— Je préfère m'en charger, au cas où il aurait du mal à comprendre, ironisa Gino. Bon, je résume. Ou bien tu acceptes de suivre le programme que je viens de te décrire, ou bien nous annulons purement et simplement cette petite soirée. A toi de choisir.

Il était trop bon de lui laisser le choix ! songea Laura avec dérision.

— Pas question d'annuler. Je vais prendre un bain et me préparer.

Lorsqu'elle sortit de la salle de bains en peignoir une heure plus tard, Gino se trouvait toujours dans la chambre.

Elle lui indiqua la porte.

— Dehors. Je vais m'habiller.

Haussant les épaules, il sortit sans un mot.

Sur une culotte de dentelle noire, Laura mit une guêpière de satin rouge, qui accentuait la rondeur de ses seins et dont le laçage laissait apparaître des petits triangles de chair tout le long de son buste. Puis elle enfila des bas de soie noire qu'elle fixa à un porte-jarretelles de dentelle noire.

Elle se maquilla ensuite avec art avant de revêtir une robe de coton très sage.

Gino l'attendait en bas de l'escalier.

— Où allons-nous ? demanda-t-il quand ils furent installés dans la voiture.

— Au Angel's Head. C'est à une dizaine de kilomètres vers le sud.

Dès qu'ils arrivèrent en vue de l'établissement, Gino se hérissa. C'était un pub miteux, dont s'échappaient des voix d'hommes chantant à tue-tête. Manifestement la soirée avait déjà été bien arrosée.

De son côté, Laura se réjouit secrètement de la présence de Gino. Peut-être était-ce une chance qu'il ait insisté pour l'accompagner, finalement…

Mark les attendait devant l'entrée. C'était un homme d'âge moyen, au physique quelconque. Gino se détendit un peu en le voyant, mais il resta néanmoins sur la réserve.

— Gino Farnese est mon mari, dit Laura.

— Je ne savais pas que tu t'étais mariée, commenta Mark avec circonspection.

« De toute évidence, il avait été échaudé par la façon dont Gino lui avait répondu au téléphone », se dit Laura en réprimant un sourire.

— Eh bien, vous voilà informé. Je pense que vous comprendrez aisément que Laura ne veuille plus travailler pour vous, déclara Gino d'une voix suave. Si elle a accepté ce soir, c'est uniquement pour vous rendre service. Mais ce sera la dernière fois.

— Ah, c'est dommage. J'ai plusieurs choses en vue et…

— Vous allez devoir trouver quelqu'un d'autre, coupa Gino d'un ton beaucoup moins affable. Ma femme ne reviendra pas sur sa décision.

— Mais…

— Est-ce que nous attendons quelqu'un d'autre ? s'empressa d'intervenir Laura pour couper court à la discussion entre les deux hommes.

— Non. Je suis ton seul partenaire, ce soir. Mon rôle se limite à assurer l'accompagnement musical, ajouta précipitamment Mark devant le regard noir de Gino.

Il brandit un magnétophone à cassettes d'un air apaisant.

Gino hocha la tête sans rien dire.

Ils finirent par entrer dans le pub et Laura gagna le vestiaire pour mettre l'uniforme de policière que Mark lui avait apporté. Se fermant à l'aide de Velcro, celui-ci était conçu pour s'enlever facilement. Une fois habillée, elle enfila ses gants de dentelle noire, qu'elle dissimula sous les gants fournis avec l'uniforme.

Touche finale à sa métamorphose, elle glissa ses cheveux sous sa casquette pour se donner un air plus sévère.

Quand elle sortit du vestiaire, Mark l'attendait, lui aussi en uniforme. Gino avait disparu.

— Je ne sais pas où il est passé, répondit Mark en réponse à la question de Laura. Mais à vrai dire, sa présence ne me manque pas. Je n'ai pas envie de mourir ce soir.

Laura éclata de rire.

— Tu ne crois pas que tu exagères ?

— Tu n'as pas vu comment il me regardait ? Ce n'est pas un gangster, par hasard ?

— Bien sûr que non ! s'exclama Laura en riant de plus belle.

— Alors il est possédé par le diable.

Laura resta silencieuse. L'image utilisée par Mark était saisissante. Gino n'était plus le Gino qu'elle connaissait. C'était un autre homme, plein d'une violence à peine contenue qu'elle n'avait jamais soupçonnée.

Mark lui tendit un calepin.

— Voici ton texte.

— Prêts ? demanda un jeune homme qui venait vers eux. Henry Rufford est l'homme à la chemise rouge.

— Allons-y, marmonna Mark.

Arborant des mines sévères, ils fendirent la foule. A la vue des uniformes, celle-ci devint instantanément silencieuse. Ils se plantèrent devant l'homme qu'on venait de leur indiquer.

— Henry Rufford ? demanda Mark d'un ton rogue.

— Oui, répondit l'homme en pâlissant.

— Est-ce votre voiture qui est garée en face de l'entrée ?

— Oui..., mais...

— Savez-vous qu'elle a été déclarée volée ?

— C'est impo…

— Sergent, lisez-lui le procès-verbal.

Mark sortit son petit magnétophone de dessous son manteau, tandis que Laura lisait avec emphase :

« Rufford Henry, je vous signale par la présente qu'aujourd'hui 20 août 2004, vous avez atteint l'âge de cinquante-cinq ans et qu'en conséquence, vos amis se sont cotisés pour vous souhaiter un Joyeux Anniversaire ! »

Visiblement soulagé, Rufford éclata de rire. Au même instant, Mark mit son magnétophone en marche et Laura commença son numéro.

D'un mouvement vif, elle retira sa veste d'uniforme, dévoilant le haut de la guêpière de satin rouge. Des cris approbateurs s'élevèrent de l'assistance exclusivement masculine. Ce fut ensuite au tour de la jupe de s'envoler, révélant les jarretelles et les jambes fuselées de Laura, gainées de soie noire.

Elle se mit à onduler des hanches au rythme de la musique, sourire aux lèvres, les yeux dans le vague. Lentement, elle fit glisser un gant le long de son bras. Les cris redoublèrent. Elle renouvela l'opération avec l'autre gant, l'enroulant sur sa peau, millimètre par millimètre.

Tout à coup, Henry Rufford bondit sur ses pieds et se planta devant elle, les yeux écarquillés à la hauteur de sa poitrine.

Ce qui se passa ensuite fut trop rapide pour qu'il ait le temps de comprendre ce qui lui arrivait. Un coup tombant de nulle part le frappa au menton, lui faisant perdre l'équilibre. A peine venait-il de s'affaler par terre que le contenu d'un verre de bière lui fut jeté au visage, tandis qu'une voix menaçante lui murmurait à l'oreille :

— Estime-toi heureux d'être toujours vivant.

— Gino ! protesta Laura.

— *Silenzio*, coupa-t-il d'un ton cinglant en se redressant. Nous partons immédiatement.

— Mais…

Se sentant soudain soulevée de terre, Laura s'interrompit, le souffle coupé.

Une seconde plus tard, Gino franchissait la porte du pub en la portant sur l'épaule comme un sac de charbon.

9.

— Qu'est-ce que tu fais ? s'écria Laura en tentant en vain de se libérer.

— Ce que j'aurais dû faire depuis un bon moment déjà.

— Il est inutile de jouer les hommes des cavernes. Veux-tu bien me reposer par terre ?

— Pas de problème. Nous sommes arrivés.

Il la fit glisser de son épaule tout en ouvrant la portière arrière de la voiture, et lui intima de monter à bord du véhicule. « Avec quel plaisir elle le planterait là ! » se dit Laura. Malheureusement, étant donné sa tenue, elle pouvait difficilement se permettre de partir à pied toute seule en pleine nuit… Bouillonnant intérieurement, elle monta sur la banquette arrière et ne desserra pas les dents pendant tout le trajet.

A son grand soulagement, ils trouvèrent la maison vide.

— Accompagne-moi dans la chambre. Il faut que nous ayons de toute urgence une conversation très sérieuse, déclara-t-elle avec humeur.

— Entièrement d'accord, répondit-il en s'inclinant d'un air narquois pour lui céder le passage. Après vous, *signora*.

Pourquoi le fait de le savoir derrière elle alors qu'elle montait l'escalier en tenue légère la plongeait-elle dans un tel embarras ? se demanda Laura avec irritation. Sans doute était-elle perturbée par les événements de la soirée. A moins que ce ne soit quelque chose de nouveau dans l'attitude de Gino... En tout cas, elle n'avait jamais été aussi troublée par sa présence...

Une fois la porte de la chambre refermée derrière eux, elle se tourna vers lui et le fusilla du regard.

— Comment as-tu osé m'humilier ainsi en public ?

— Pour ça, tu t'en sortais très bien toute seule, il me semble.

— Tu étais prévenu. Je t'ai expliqué comment se déroulerait la soirée.

— Es-tu vraiment inconsciente ou bien as-tu décidé de me mettre hors de moi ? Tu m'avais affirmé que tu ne craignais rien !

— C'était le cas.

— Rufford s'apprêtait à te peloter ! hurla Gino, manifestement à bout de patience.

Laura leva les yeux au ciel.

— J'aurais pu me défendre toute seule.

— Il n'attendait que ça ! Enfin, Laura, tu ne voulais tout de même pas que je reste sans rien faire ! Et n'essaie pas de me dire que c'était innocent, parce que j'ai vu avec quels yeux tous ces hommes te regardaient.

Gino s'interrompit pour prendre une profonde inspiration.

— Ils étaient à deux doigts de se jeter sur toi pour t'arracher les derniers bouts de tissu que tu avais sur le dos, reprit-il.

— Même s'ils avaient osé — ce qui n'est jamais arrivé, dois-je te le préciser une fois de plus ? — ils n'auraient pas réussi. Je ne me serais pas laissé faire, figure-toi ! s'écria-t-elle avec exaspération.

— Parce que tu t'imagines que tu aurais eu ton mot à dire ? Il n'y a rien de plus facile que de défaire ce nœud, là-devant... Comme ça.

D'un geste vif, il tira sur le fin cordon de satin rouge de la guêpière, dénouant le nœud. Un second coup sec détendit le laçage du sous-vêtement.

Laura baissa les yeux sur son buste à demi dénudé, puis les releva vers Gino. « Seigneur ! Quelle était cette lueur dans ses prunelles ? » se demanda-t-elle, le cœur battant à tout rompre.

— Tu vois à quel point c'est facile ? murmura-t-il d'une voix rauque. Il suffit d'un seul homme dénué de savoir-vivre pour te déshabiller en quelques gestes.

Tout en parlant, il tira de nouveau sur le cordon. Les deux pans de la guêpière s'écartèrent, dévoilant entièrement le buste de Laura.

— Je n'avais encore jamais rencontré d'homme dénué de savoir-vivre, déclara-t-elle d'une voix mal assurée.

— Eh bien, c'est fait.

Il fit glisser le cordon hors de chaque œillet, et la guêpière finit par tomber sur le sol.

Electrisée, Laura retint son souffle. La saisissant par la taille, il la souleva de terre et enfouit son visage entre ses seins. Elle crut défaillir. Un gémissement lui échappa, tandis que les lèvres de Gino traçaient sur sa peau un sillon de baisers, remontant lentement vers sa gorge, puis le long de son cou.

Enfin, sa bouche s'empara de la sienne, douce et exigeante à la fois. Se plaquant contre lui, Laura répondit à son baiser avec toute l'ardeur de son propre désir.

Dire qu'elle avait longtemps cru que plus jamais aucun homme ne la ferait vibrer… En fait, le feu couvait au plus profond d'elle, attendant celui qui saurait le ranimer.

Gino la porta jusqu'au lit, sur lequel il l'allongea avant de se dévêtir à la hâte. Son corps était bien plus athlétique qu'elle ne l'avait imaginé, constata-t-elle avec surprise. Mais surtout, son désir pour elle était incontestable. A la vue de sa virilité triomphante, elle sentit redoubler les battements de son cœur.

Toutefois, au même instant, Gino s'immobilisa brusquement comme si une main impérieuse venait de se poser sur son épaule lui intimant de s'arrêter. Au lieu de s'allonger près d'elle, il resta debout à la contempler. Il attendait une réponse à la question muette que posait son regard, comprit Laura.

Elle lui prit la main pour l'attirer contre elle et vit ses traits se détendre.

— Tu es certaine ? murmura-t-il.

— Tout à fait certaine.

S'il savait à quel point elle brûlait de sentir ses mains caresser sa peau… son corps s'entremêler au sien… sa force virile pénétrer le cœur de sa féminité…

Du bout des doigts, il effleura les pointes dressées de ses seins, qui se durcirent davantage. Elle laissa échapper un cri de plaisir tandis qu'une vague de sensualité la submergeait. A présent qu'il la savait consentante, Gino laissait libre cours à son ardeur, explorant son corps dans ses moindres recoins de ses mains expertes, tandis que sa bouche se mêlait à la sienne en de longs baisers incendiaires.

Plaquée contre lui, les bras noués sur sa nuque, Laura ondulait avec volupté sous ses caresses, s'épanouissant entre ses bras telle une fleur au soleil. Quand Gino plongea en elle, elle fut emportée dans un tourbillon inexorable au sein duquel des sensations dévastatrices lui ouvrirent les portes d'une nouvelle dimension.

Voilà qui l'obligeait à se poser certaines questions. Depuis combien de temps désirait-elle inconsciemment Gino ? Depuis le jour où elle avait été frappée par sa beauté en le regardant dormir sur un banc dans le parc ?

Mais avant qu'elle ait pu trouver la réponse à sa question, l'extase balaya en elle toute pensée, et l'un et l'autre furent propulsés simultanément au sommet de la volupté.

Plus tard, ils reprirent pied ensemble dans la réalité, étroitement enlacés. Ils se regardèrent, et Laura vit son émerveillement se refléter dans les yeux de Gino.

— Tu caches bien ton jeu ! murmura-t-il avec un sourire taquin.

Elle arqua un sourcil.

— Que veux-tu dire ?

— Inutile de prendre cet air innocent, tu m'as parfaitement compris. Sous des dehors très sages, tu caches un tempérament de feu. Je le soupçonnais depuis quelque temps, mais ce soir j'en ai eu la certitude.

Il promena une main nonchalante sur le corps de Laura.

— Tu ne peux pas renier ton passé de danseuse. Chacun de tes mouvements est plein de grâce. Mais surtout, tu débordes de sensualité...

Il hésita un instant avant de poursuivre.

— J'aimerais tellement pouvoir te faire comprendre à quel point il m'a été pénible de te voir exposée aux regards de convoitise de ces hommes.

Comment lui avouer qu'il avait été submergé par une jalousie épouvantable ? Il avait peine à le croire lui-même.

Plusieurs fois déjà il avait été surpris par certaines de ses réactions vis-à-vis de Laura. Des réactions qui n'avaient rien de fraternel...

— Quand j'ai vu ce crétin en chemise rouge te dévorer des yeux, j'ai cru que j'allais le tuer, reprit-il.

Au son du petit rire ravi de Laura, il sentit un long frisson se propager le long de son dos.

— Vraiment ? demanda-t-elle.

— Vraiment. Promets-moi de ne plus jamais recommencer.

— Je te le promets. D'autant plus que je ne risque pas d'oublier cette soirée. Je ne te reconnaissais pas. Jamais je n'aurais imaginé que tu pouvais réagir aussi violemment.

— Pour être très franc, je ne me reconnaissais pas moi-même.

— Pauvre Mark ! Il t'a pris pour un gangster.

Gino sourit. Mais une question lui brûlait les lèvres depuis un moment.

— Peut-être est-ce indiscret, mais... toi et Steve... ?

— Non, répondit-elle aussitôt. Il ne s'est jamais rien passé entre nous.

Comparé à la passion torride que Gino déchaînait en elle, ce qu'elle avait cru éprouver pour Steve était d'une tiédeur navrante, songea-t-elle.

— J'en suis heureux, dit-il en promenant de nouveau la main sur son corps.

Laura s'efforça de masquer sa jubilation. Il semblait se confirmer que Gino était jaloux ! Oh bien sûr, sa jalousie était purement sexuelle, alors qu'elle nourrissait d'autres attentes. Mais c'était déjà fantastique !

Soudain, elle laissa échapper un gémissement. Les caresses diaboliques de Gino finiraient par lui faire perdre la raison... Transpercée par mille petites flèches de plaisir pur, elle continua de gémir, tandis que la main de Gino quittait son sein gonflé de désir pour descendre lentement jusqu'à sa taille, envelopper le galbe de sa hanche, caresser son ventre... Ses doigts se glissèrent ensuite avec volupté dans sa toison soyeuse, jusqu'à l'entrée de sa fleur humide d'impatience.

— Viens ! supplia-t-elle dans un souffle.

Se plaçant entre ses jambes, il entra de nouveau en elle d'un mouvement lent et doux. Avec une nonchalance exquise, il se mit à aller et venir au plus profond de son être, l'emmenant vers un rivage paradisiaque, sur lequel ils s'échouèrent ensemble, fusionnant dans un bonheur partagé.

Un long moment plus tard, alors qu'il souriait malicieusement, elle lui demanda ce qui l'amusait autant.

— Certaines pensées que j'ai eues récemment me reviennent en mémoire. Figure-toi que j'avais fait le projet de m'offrir une pipe et des pantoufles.

Laura pouffa.

— Je n'arrive pas à vous imaginer en pantoufles, *signore*.

— Vous m'en voyez ravi, *signora*. Vous, en revanche... Après tout, vous êtes beaucoup plus âgée que moi...

— C'est vrai, acquiesça-t-elle avec un petit soupir mélancolique. J'avais presque oublié...

— Hé, ne fais pas cette tête ! s'exclama-t-il aussitôt, visiblement inquiet. Je plaisantais.

— Je sais. C'est juste que... Oh, je suppose que je m'y habituerai, dit-elle en enfouissant son visage dans l'oreiller.

— Laura, s'il te plaît, ne sois pas triste ! Je t'assure que je plaisantais.

Elle releva la tête.

— Moi aussi ! dit-elle en pouffant. Je t'ai bien eu, n'est-ce pas ?

— Oh, toi… !

Il l'attira contre lui en riant.

— Tu ne perds rien pour attendre. J'aurai ma revanche.

— Promis ?

— Promis.

— Maintenant ?

— Tu penses peut-être que je n'en suis pas capable ?

— Eh bien, jusqu'à présent tu ne t'en es pas trop mal sorti… pour quelqu'un qui rêve de pantoufles. Mais tout de même, trois fois dans la même nuit, c'est peut-être un peu présomptueux à ton âge…

Capturant sa bouche, Gino réduisit Laura au silence et s'employa à relever le défi avec ardeur. Après un corps à corps fougueux qui les laissa tous deux comblés et hors d'haleine, Gino sombra dans un sommeil profond.

Laura le contempla un long moment avec un émerveillement teinté d'incrédulité. Comment avait-elle pu considérer cet homme dangereusement sexy et passionné comme un petit frère ? Y avait-elle vraiment cru à l'époque ou bien se voilait-elle la face ?

En tout cas, elle savait aujourd'hui qu'elle ne pourrait jamais plus le regarder qu'avec les yeux de l'amour… Partagerait-il un jour ses sentiments ? Se penchant sur lui, elle déposa sur ses lèvres un baiser léger comme une bulle de savon. Inutile de se torturer prématurément. Aujourd'hui, Gino était son amant. Passionné, attentif et débordant de désir pour elle. C'était déjà une chance extraordinaire. Plus tard peut-être, ses rêves les plus fous deviendraient réalité. Pourquoi pas ? A présent qu'ils avaient fait le premier pas l'un vers l'autre, tous les espoirs étaient permis.

*
* *

En apparence, la vie continua comme avant. Gino et Laura ne changèrent rien à leurs habitudes et continuèrent d'offrir aux yeux du monde l'image d'un couple paisible, uni par une profonde affection et essentiellement préoccupé par le bien-être de leur fille.

Mais dans l'intimité de la chambre conjugale, ils devenaient des amants consumés par un désir insatiable, aussi fougueux et exubérants que des adolescents.

Le rire n'était jamais absent de leurs étreintes passionnées. Laura ne pouvait pas évoquer sans pouffer le soir où les lits jumeaux s'étaient brusquement écartés alors qu'ils faisaient l'amour. Gino avait glissé à terre en lâchant un horrible juron. Puis il s'était relevé aussitôt et s'était remis en action comme si de rien n'était.

Le lendemain, ils avaient acheté un lit double.

Malgré tout, le bonheur de Nikki restait leur priorité. Tous les jours, Laura se réjouissait d'avoir trouvé en Gino un père idéal pour sa fille.

Un soir, des circonstances difficiles lui donnèrent l'occasion de prouver une fois de plus qu'il était l'homme de la situation.

C'était un samedi, ils étaient seuls tous les trois dans la maison et Nikki avait la permission de se coucher plus tard que d'habitude. Ils regardaient la télévision en zappant, quand soudain Laura entendit une voix familière.

— Bien sûr, les goûts du public sont en constante évolution, ce qui suppose…

Elle resta tétanisée. Quel choc ! Il y avait si longtemps qu'elle n'avait plus aucun contact avec Jack Gray… Depuis le jour où il les avait quittées, Nikki et elle, ils n'avaient parlé que deux fois, au téléphone. Lors du divorce, ils n'avaient communiqué que par l'intermédiaire de leurs avocats.

Et voilà qu'il surgissait tout à coup dans leur salon ! Il fallait reconnaître qu'il était toujours séduisant, malgré quelques rides et un léger embonpoint. Ses dents, en revanche étaient parfaites. Trop blanches et trop bien alignées...

Il était trop tard pour changer de chaîne, constata Laura, le cœur serré. Assise par terre, Nikki avait vu son père et elle fixait l'écran avec intensité. Le journaliste qui interviewait Jack prononça son nom. Gino tressaillit, et il jeta un coup d'œil à la petite fille avant de se tourner vers Laura. Elle hocha la tête d'un air accablé.

Depuis l'anniversaire de Nikki, personne n'avait plus jamais fait allusion à son père. Avait-elle eu raison de garder le silence ? se demanda Laura. Plusieurs fois elle avait été sur le point de crever l'abcès, puis elle avait renoncé, répugnant à faire souffrir sa fille.

Mais à présent, celle-ci allait être obligée d'affronter la réalité. Comment allait-elle réagir face à la preuve flagrante que son père était bien vivant ?

Comme pour remuer le couteau dans la plaie, Jack était justement en train de vanter les joies de la vie de famille en exhibant fièrement sur ses genoux une petite fille blonde, aux traits délicats et au teint de porcelaine.

La gorge nouée, Laura retint son souffle sans quitter sa fille des yeux. Impassible, Nikki regardait sans broncher ces images qui redonnaient à son père son véritable statut de traître. Son absence de réaction était terrifiante, songea Laura en frissonnant.

Mais soudain, Nikki se laissa glisser sans bruit du canapé et s'installa par terre entre les jambes de Gino. Sans dire un mot, il lui tendit la main. Elle la prit dans la sienne et ils restèrent ainsi sans bouger pendant un moment. Puis Nikki leva la tête vers lui.

— Je peux avoir une tartine avant d'aller au lit ?

— Tu veux que je te la prépare ?

— Oui, s'il te plaît, papa.

Laura laissa échapper un soupir de soulagement. Tout était dit.

Si seulement elle se sentait libre d'avouer son amour à Gino ! songeait régulièrement Laura. Son bonheur serait parfait. La nuit il la comblait de plaisir. Le jour il la comblait d'affection.

Mais ni la nuit ni le jour il ne lui disait qu'il l'aimait.

Et alors ? Quelle importance puisqu'il se comportait comme s'il l'aimait ? se morigénait-elle. Il fallait continuer à prendre la vie comme elle venait. Après tout, jusque-là ça lui avait plutôt réussi. Pourquoi risquer de tout gâcher en cédant à l'impatience ?

Mais elle avait beau tenter de se raisonner, elle ne pouvait s'empêcher de tendre jalousement l'oreille quand il arrivait à Gino de parler dans son sommeil. Certes, il ne prononçait plus jamais le prénom qu'elle redoutait tant d'entendre. Mais jamais non plus, il ne prononçait le sien…

Un soir, il annonça qu'il allait se promener alors qu'il pleuvait des cordes. Il resta dehors plusieurs heures avant de rentrer, trempé jusqu'aux os.

— J'espère que je ne t'ai pas réveillée, dit-il en s'asseyant au bord du lit tout en se frottant les cheveux avec une serviette.

Pas question de lui avouer qu'elle l'avait guetté anxieusement pendant toute son absence, songea-t-elle. Il ne fallait pas qu'il se sente espionné.

— Veux-tu que je te prépare un thé ? proposa-t-elle.

— Non, merci. Laura, je veux que tu quittes le pub. Tu travailles trop.

Elle le regarda avec stupéfaction.

— Mais… j'ai besoin d'argent !

— Il existe un autre moyen d'en avoir. Suffisamment pour que tu arrêtes de travailler comme barmaid et que tu engages du personnel pour t'aider à tenir la maison.

— Je ne vois vraiment pas lequel.

— Je vais vendre ma part de Belluna.

Elle se redressa vivement dans le lit.

— Ta ferme en Toscane ?

— Ma demi-ferme, pour être très précis. Rinaldo devrait être d'accord pour racheter ma part.

— Combien penses-tu obtenir ?

Il lui indiqua la valeur de la propriété.

— Tant que ça ? s'exclama-t-elle, ahurie. Mais… je croyais que tu n'avais pas un sou.

— Ça restera le cas jusqu'à ce que je vende ma part de la ferme.

— Es-tu certain que ton frère a les moyens de te la racheter ?

— Lui peut-être pas, mais Alex sans aucun doute. Elle possédait un appartement à Londres qu'elle avait l'intention de vendre. Leur céder ma part serait un moyen de tirer un trait sur le passé. Plus rien ne me rattacherait à la Toscane.

— Est-ce vraiment ce que tu souhaites, Gino ? Te couper définitivement de chez toi ?

Il eut une hésitation presque imperceptible avant de répondre.

— Chez moi c'est ici, à présent.

— Merci de me dire ça, mais je ne pense pas que ce soit entièrement vrai. C'est en Toscane que tu es né et que tu as été élevé. Ta langue maternelle et ta culture t'attachent à jamais à cette région.

Il soupira.

— Il est quand même préférable que je coupe les ponts.

« Mieux valait abandonner le sujet », se dit Laura. De toute évidence, Gino n'avait aucune envie de se livrer. Mais ce fut plus fort qu'elle. Une force impérieuse la poussa à insister.

— Pourquoi ? Qu'y a-t-il là-bas que tu refuses d'affronter ?

— Est-ce important ?

— Pour moi, oui, Gino. Tu n'imagines pas à quel point. Réponds-moi, s'il te plaît.

— Je ne peux pas, répliqua-t-il d'un ton vif. Moi-même je ne connais pas la réponse.

— Je pense que si.

Il la fixa sans rien dire, le visage fermé.

Le cœur étreint par une profonde tristesse, Laura s'exhorta au silence. Pourtant, de nouveau, elle fut incapable de se taire.

— Pourquoi veux-tu couper les ponts avec la Toscane, Gino ? De quoi as-tu peur ?

10.

« De quoi as-tu peur ? »

Les mots semblaient résonner dans la chambre, comme répercutés par les murs en un écho sans fin. Pétrifiée, Laura se maudissait. Comment avait-elle pu poser une question aussi maladroite ?

Toujours assis au bord du lit, Gino fixait devant lui un point invisible, le visage fermé. Finalement il se leva et quitta la pièce sans un mot.

La mort dans l'âme, Laura écouta le bruit de ses pas décroître dans l'escalier. Peut-être se rendait-il simplement à la cuisine. Peut-être allait-il revenir dans quelques instants et la prendre dans ses bras en lui ouvrant enfin son cœur, se dit-elle sans y croire un seul instant.

Gino ne remonta pas. Toute la nuit, Laura chercha en vain le sommeil, se tournant et se retournant dans le grand lit vide. C'était la première fois depuis leur mariage qu'ils ne dormaient pas dans la même chambre.

Le lendemain matin, quand elle arriva dans la cuisine, il l'embrassa comme si de rien n'était. Mais ni ce jour-là ni les suivants, il ne reparla de vendre sa part de la ferme.

Que n'aurait-elle pas donné pour pouvoir lire dans ses pensées ! se répétait Laura à longueur de journée. Après tout, n'aurait-elle pas dû se réjouir qu'il envisage de tourner le dos à l'Italie pour unir définitivement sa destinée à la sienne ? Quelle idiote ! Pourquoi avait-il fallu qu'elle le harcèle de questions ? Mais malgré ses regrets, elle restait persuadée tout au fond d'elle-même que Gino ne pourrait rien construire de solide tant qu'il continuerait de fuir son passé.

Un soir, en rentrant de l'usine, il lui demanda :

— As-tu donné ta démission au Running Sheep ?

— Non, répondit-elle, le cœur battant. Je pensais que tu avais renoncé à tes projets.

— Pas du tout. Tu peux leur annoncer que tu vas arrêter de travailler. J'ai écrit à Rinaldo pour lui proposer de racheter ma part. Il va sûrement téléphoner.

A partir de ce moment, Laura ne put s'empêcher de tressaillir à chaque fois que le téléphone sonnait. Mais les jours se succédèrent sans aucune nouvelle de Toscane. Et plus le temps passait, plus Gino donnait des signes de nervosité, constata-t-elle avec appréhension.

Enfin, la réponse tant attendue arriva, mais par courrier.

La lettre tomba sur le paillasson un matin, alors que Gino se trouvait à l'usine. Ce fut Laura, seule à la maison, qui la ramassa. En voyant le timbre italien, elle sentit son cœur s'affoler dans sa poitrine. « Impossible de déterminer si l'écriture était masculine ou féminine », se dit-elle en examinant l'enveloppe sous toutes les coutures. Et si c'était Alex qui avait répondu à Gino ?

Elle posa la lettre sur la cheminée et s'efforça de l'oublier. En vain. A plusieurs reprises, elle ne put s'empêcher de revenir y jeter un coup d'œil.

Comme cela lui arrivait de temps en temps, Gino téléphona dans l'après-midi pour lui demander si elle voulait qu'il fasse des courses sur le chemin du retour.

Sans répondre à sa question, elle annonça :

— Une lettre est arrivée d'Italie.

Aussitôt, elle regretta ses paroles. Pourquoi n'avait-elle pas attendu qu'il la trouve en rentrant ? Elle aurait au moins pu observer son visage au moment où il découvrirait ce courrier, au lieu d'être confrontée à un silence interminable à l'autre bout de la ligne...

— Très bien, finit-il par dire d'un ton neutre. A tout à l'heure.

Elle lui tendit l'enveloppe dès son arrivée. Il l'ouvrit sans ciller, mais pâlit à la lecture de la lettre.

— Que se passe-t-il ? s'enquit-elle avec inquiétude. Il refuse ?

— Ce n'est pas Rinaldo qui a écrit. C'est Alex.

Déglutissant péniblement, Laura s'efforça de prendre un ton neutre :

— Que dit-elle ?

— Ce que je prévoyais. Rinaldo n'a pas les moyens de me racheter ma part, mais ayant vendu son appartement londonien, elle-même dispose des fonds nécessaires. Cependant, avant de prendre une décision, elle veut nous rencontrer pour en discuter.

— Nous ?

— Elle veut que je vous emmène en Toscane, Nikki et toi. Elle dit qu'ils m'en veulent beaucoup de ne pas les avoir invités à notre mariage et qu'une réunion de famille s'impose. Je suppose qu'elle a raison.

— Tu ne les avais pas prévenus de notre mariage ? s'exclama Laura, abasourdie.

Il secoua la tête.

— Tu étais si fâché que ça avec eux ?

— Non, pas exactement. Mais j'avais besoin de garder mes distances.

— En éprouves-tu encore le besoin ?

— Je pense qu'Alex a raison et qu'une réunion de famille s'impose, esquiva-t-il. Le plus tôt sera le mieux. Nikki et toi vous avez les papiers nécessaires pour voyager ?

Laura fut soudain prise d'une angoisse irraisonnée.

— Mais je… Je ne peux pas venir. Qui va s'occuper de la maison ?

— Je suis sûr que ça ne gênera pas du tout nos amis de se débrouiller seuls pendant quelque temps, fit valoir Gino.

Il avait raison. Les cinq pensionnaires poussèrent les hauts cris quand Laura leur fit part de ses scrupules. « Impossible de se dérober », songea-t-elle, s'efforçant de refouler ses craintes. Quel autre prétexte trouver pour éviter ce voyage ?

De son côté, Nikki fut bien sûr enthousiasmée par la perspective d'aller en Italie. Elle retint aussitôt leur itinéraire par cœur.

— Nous allons en avion jusqu'à Pise, parce que c'est l'aéroport le plus proche de Florence, récita-t-elle fièrement. Ensuite nous prenons le train…

— A moins que quelqu'un ne vienne nous chercher, coupa Gino en souriant. Il faut que je règle les détails du voyage.

Il appela l'Italie le soir même.

— *E, Rinaldo.*

— Papa parle à son frère, chuchota Nikki à Laura.

— Je sais, mais il ne faut pas écouter. C'est très indiscret.

— Ça n'a pas d'importance puisqu'ils parlent en toscan, rétorqua Nikki le plus naturellement du monde.

Laura regarda sa fille avec stupéfaction.

— Comment le sais-tu ?

— Papa m'a appris quelques mots de toscan. Mais je n'en connais pas assez pour comprendre ce qu'il dit.

Laura ne put s'empêcher de sourire.

— J'espère bien ! Je te répète qu'il ne faut pas écouter les conversations qui ne nous sont pas destinées. C'est incorrect.

— D'accord, maman. Oh, je suis si contente ! s'exclama la petite fille en tapant dans ses mains. Papa m'a tellement parlé de l'Italie !

Au même instant, Gino raccrocha et les rejoignit.

— Après-demain, à notre arrivée, quelqu'un viendra nous chercher pour nous conduire en voiture à la ferme.

— Qui ? ne put s'empêcher de demander Laura avec une pointe d'appréhension.

— Je ne sais pas.

Gino se tourna vers Nikki.

— Il faut faire les valises. *Capisci* ? Compris ?

— *Capisco* !

Pivotant sur elle-même, Nikki monta dans sa chambre en courant.

Son enthousiasme semblait contagieux, constata Laura avec étonnement. Toute la maison vibrait d'excitation et chacun des pensionnaires semblait se réjouir personnellement de ce voyage. Sadie réussit à obtenir un congé spécial pour Gino.

— Bien sûr il pourra reprendre son poste à son retour, précisa-t-elle à Laura en le lui annonçant. A supposer qu'il le souhaite, bien entendu.

— Je suppose que quand il aura vendu sa part de la ferme, il n'aura plus besoin de travailler comme emballeur, répliqua Laura.

— Ce n'est pas exactement ce que… Oh, peu importe ! Avec un geste évasif, Sadie quitta la cuisine.

Après son départ, Nikki confia à sa mère avec une mine de conspiratrice :

— Ils espèrent tous que nous ne reviendrons pas.

— Que veux-tu dire, ma chérie ?

— Je les ai entendus discuter. Ils ont tout prévu. Si nous restons en Italie, ils se cotiseront pour racheter la maison, parce qu'ils se sentent bien ici.

Laura leva les yeux au ciel.

— Arrête d'inventer des histoires !

— Je t'assure que c'est vrai. Ils veulent créer une communauté.

Laura éclata de rire.

— Alors là, c'est la preuve que tu inventes !

— C'est Claudia qui l'a dit. Elle en a très envie.

— Claudia vivre en communauté avec Bert ? Voyons, ma puce, ils ne peuvent pas se supporter.

— Je pense qu'ils font semblant pour s'amuser. Et je t'assure qu'ils ont tous très envie de te racheter la maison.

— De toute façon, il n'en est pas question, ma chérie. Quand Gino aura vendu sa part de la ferme, nous reviendrons ici.

— Est-ce c'est vraiment ce dont *poppa* a envie ?

— *Poppa* ?

— C'est comme ça que les enfants appellent leur père en Italie. C'est comme ça que papa appelait le sien.

Nikki s'éloigna en sautillant, laissant Laura perturbée. Gino avait décidé de quitter définitivement l'Italie pour revenir s'installer en Angleterre, se rappela-t-elle pour se rassurer. Mais de nombreux doutes l'assaillirent aussitôt. Une fois en Toscane, ne risquait-il pas de modifier ses projets ? Quelle serait la réaction de Gino en revoyant Alex ? Décidément, la perspective de ce séjour en Italie était de moins en moins réjouissante…

Le jour du départ, tous les pensionnaires sortirent sur le trottoir pour leur souhaiter un bon voyage et firent de grands signes tandis que leur taxi s'éloignait. Espéraient-ils vraiment qu'ils ne reviendraient pas ? se demanda Laura, l'estomac noué.

La pluie tombait à verse, mais cela n'atténua en rien l'enthousiasme de Nikki. Pendant tout le trajet jusqu'à l'aéroport, elle assaillit son *poppa* de questions, en profitant pour pratiquer un italien rudimentaire mais apparemment correct, à en juger par les compliments de Gino. De toute évidence, il ne lui faudrait pas longtemps pour devenir bilingue…

Nikki avait déjà pris l'avion une fois, mais elle était trop petite à l'époque pour en garder le moindre souvenir. Pendant tout le vol, elle resta le visage collé au hublot, fascinée par la vue. Le temps s'étant rapidement amélioré après le décollage, elle vit très clairement la côte française quand ils la survolèrent.

— Nous ne sommes pas encore au-dessus de l'Italie ? demanda-t-elle ensuite toutes les deux minutes.

— Non, pour l'instant, c'est toujours la France, répondit Gino. Ensuite nous survolerons la Suisse. Puis quand tu verras des montagnes, tu sauras que ce sont les Alpes. Juste après, ce sera l'Italie.

— Et nous serons arrivés ?

— Après quelques centaines de kilomètres, *si*, répondit-il en riant.

Un moment plus tard, Nikki s'écria :

— Papa, est-ce que ce sont les Alpes ?

— *Si, piccina. Sono le Alpi !*

Quand l'appareil amorça sa descente sur Pise en décrivant un demi-cercle au-dessus de la mer, la petite fille tapa dans ses mains avec ravissement.

A l'aéroport, un homme immense au visage buriné s'avança vers eux avec un large sourire aux lèvres. C'était Toni, le régisseur de Belluna. Il salua Gino d'une voix tonitruante et le serra dans ses bras. Puis il souhaita avec déférence la bienvenue à la *Signora* Farnese et tendit la main à la *piccina*.

Gino avait rassuré Laura bien avant le départ en l'informant qu'il avait mis Rinaldo au courant du problème de Nikki, afin que celui-ci prévienne tout le monde.

Quelques instants plus tard, les valises étaient chargées dans le coffre d'une berline et ils prenaient la route vers le nord. Nikki, assise sur la banquette arrière avec Laura, regardait par la vitre avec des yeux gloutons.

Laura s'attendait que les deux hommes discutent pendant tout le trajet en italien ou en toscan. Mais après avoir échangé quelques remarques, ils se turent et Gino s'absorba dans la contemplation du paysage. « Nul doute que cet environnement familier évoquait pour lui une foule de souvenirs », se dit-elle avec un pincement au cœur.

A un moment, il se tourna vers elles et déclara :

— Nous venons d'entrer dans la propriété. Tout ce que vous voyez autour de vous fait partie de Belluna.

A perte de vue s'étendaient des vignes au milieu desquelles des hommes et des femmes cueillaient le raisin. La lumière éblouissante du soleil donnait un éclat particulier aux couleurs déjà vives du paysage, constata Laura. Pas étonnant que Gino déteste le climat anglais... Comment avait-il eu le courage de quitter un endroit aussi splendide ?

— Voici la ferme, annonça-t-il alors qu'ils arrivaient en vue d'un imposant bâtiment de pierre doté d'un escalier à double révolution à la fois sobre et majestueux.

— C'est une ferme ? s'exclama Laura, ébahie.

— Aujourd'hui, oui. Il y a longtemps, c'était une grande maison. Regardez Teresa à la fenêtre, à l'étage.

Une femme d'un certain âge leur adressa de grands signes avant de rentrer à l'intérieur. A l'instant précis où la voiture s'arrêtait devant la maison, un homme apparut en haut des marches.

Le frère de Gino, sans aucun doute, songea Laura. Rinaldo était plus âgé et plus corpulent, mais la ressemblance était frappante. Gino descendit de voiture et les deux frères s'observèrent en silence, visiblement aussi embarrassés l'un que l'autre. Puis ils se rejoignirent au pied de l'escalier et s'étreignirent en silence pendant un long moment. Les liens qui les unissaient étaient assez forts pour résister à n'importe quelle brouille, comprit Laura.

Rinaldo regarda attentivement le visage de son frère.

— Tu as vieilli, dit-il en anglais.

— Pas toi, répondit Gino.

Rinaldo acquiesça d'un hochement de tête en souriant.

— Quel cachottier tu fais ! déclara-t-il, toujours en anglais, en s'avançant vers Laura. Pourtant, un tel bonheur doit se partager. *Signora*, vous êtes la bienvenue dans notre famille.

Il embrassa Laura sur les deux joues.

— Merci, répliqua-t-elle. Je suis sincèrement ravie de rencontrer la famille de Gino.

— Je te présente ma fille, dit Gino à son frère en tenant Nikki par les épaules. *La mia figlia*.

Rinaldo et Nikki se serrèrent la main.

— *Buon giorno, signore,* dit Nikki.

Rinaldo réfléchit un instant avant de demander :

— *Come sta* ? Comment allez-vous ?

— *Molto bene, grazie*, répliqua Nikki sans hésiter. Très bien, merci.

Avec un large sourire, Rinaldo se tourna vers Laura.

— Votre fille vous fait honneur, *signora*. Rentrons, mon épouse vous attend.

Le moment qu'elle redoutait tant était arrivé, se dit Laura en s'efforçant de maîtriser son anxiété. Gino allait se retrouver en face d'Alex, après un an de séparation.

Au lieu de remonter l'escalier, Rinaldo les invita à entrer au rez-de-chaussée par une porte-fenêtre. A l'autre bout de l'immense pièce, une jeune femme venait de franchir une autre porte-fenêtre ouvrant sur un jardin.

Dans le contre-jour, Laura ne distingua d'abord que sa silhouette. Elle jeta un regard en biais à Gino. Les yeux fixés sur la jeune femme, il semblait surpris.

— Alex ? murmura-t-il.

— Tu vois, tu n'es pas le seul à faire des cachotteries, commenta Rinaldo en souriant. Notre bébé doit naître le mois prochain.

Manifestement médusé, Gino s'approcha de la jeune femme et lui prit les mains.

— Mon cher Gino, tu vas devenir tonton, déclara-t-elle en souriant.

— Rinaldo a raison. Il ne faut pas avoir de secrets pour sa famille. Je suis très heureux pour vous deux.

Gino embrassa Alex sur la joue, puis l'entraîna vers Laura.

— Alex, je te présente ma femme, Laura.

Les deux femmes se serrèrent la main, s'observant mutuellement avec le même intérêt.

— Rinaldo et moi avons été très heureux d'apprendre que Gino s'était marié, déclara Alex chaleureusement. Et nous sommes plus heureux encore de vous accueillir chez nous.

Tout en la remerciant poliment, Laura la considéra avec une certaine perplexité. Alex ne ressemblait pas à l'image qu'elle s'en était faite. La jeune femme de la photo lui avait paru plutôt sophistiquée alors que celle qui se tenait devant elle aujourd'hui, les cheveux flottant librement sur les épaules possédait un charme empreint de naturel et de sérénité.

— Vous avez sans doute envie de vous installer et de vous rafraîchir un peu, déclara Alex. Je vous ai installés dans l'ancienne chambre de Gino, et Nikki dans la chambre adjacente.

Elle prit la petite fille par la main et invita Laura à la suivre. La maison, décorée avec goût et simplicité, était accueillante. Un sourire ravi aux lèvres, Nikki promenait autour d'elle un regard approbateur.

Les deux frères les suivirent à l'étage avec les valises. Rinaldo prenait soin de monter les marches juste derrière sa femme tout en la couvant d'un regard anxieux, constata Laura.

Dans l'ancienne chambre de Gino, une grande pièce avec poutres apparentes au plafond, les meubles en noyer étincelaient tant ils étaient astiqués avec soin.

— Viens voir, Maman ! s'exclama Nikki qui s'était empressée de courir à la fenêtre. Viens voir la vue !

Construite sur une colline, la maison bénéficiait d'une vue plongeante sur une petite vallée parsemée de cyprès, au fond de laquelle un ruisseau sinuait paresseusement en miroitant sous les rayons du soleil.

— Qu'y a-t-il, là-bas ? demanda Nikki en indiquant un bâtiment à flanc de colline de l'autre côté de la vallée, juste en face de la ferme.

— C'est une maison, répondit Alex.

— Qui y habite ?

— Personne. Rinaldo a proposé à plusieurs personnes qui travaillent ici de s'y installer. Elle est assez grande pour loger deux familles. Mais personne ne veut y entrer ni même l'approcher parce qu'elle est censée être hantée.

— Par un vrai fantôme ? s'exclama Nikki, les yeux brillants.

— C'est ce qu'on raconte, acquiesça Alex, amusée. Mais je ne sais pas si quelqu'un a déjà vu le fantôme en question.

— Pourrai-je aller là-bas un jour ? Je suis sûre que je le verrai.

Alex se mit à rire.

— Je crains que Nikki n'ait des goûts un peu bizarres, lui confia Laura.

Dans sa chambre, la petite fille trouva un cadeau de bienvenue. Un immense puzzle représentant le Ponte Vecchio sur le fleuve Arno.

— Nous irons voir très bientôt le vrai, promit Alex. Descendez dès que vous serez prêtes. Nous allons manger.

Sur le seuil de la pièce, Rinaldo attendait son épouse. En regagnant sa chambre, Laura le vit la prendre par le bras pour descendre l'escalier.

— Il est vraiment aux petits soins pour elle, commenta-t-elle.

Ne recevant pas de réponse, elle tourna la tête. Debout devant la fenêtre, Gino était absorbé dans la contemplation du paysage.

Alors qu'elle s'approchait de lui, il sembla émerger d'un rêve.

— Excuse-moi. Que disais-tu ?

— Que Rinaldo est aux petits soins pour Alex.

— Sa première femme est morte en couches et le souvenir de cette tragédie le poursuit.

Quand ils redescendirent, Gino présenta Laura et Nikki à la gouvernante, Teresa, ainsi qu'à ses deux nièces, Claudia et Francia, qui travaillaient avec elle.

Autour d'une table décorée de fleurs et de bougies, ils eurent droit à un véritable banquet. Le menu élaboré spécialement à leur intention permit à Laura et à Nikki de découvrir une grande variété de spécialités toscanes. On leur servit d'abord des *finocchiona*, du salami parfumé aux graines de fenouil, puis une soupe au chou romanesco, qui fut suivie par des faisans farcis à la truffe. Et pour le dessert, des crèmes glacées.

Laura était assise à la droite de Rinaldo, qui présidait. Cependant, la plupart du temps, celui-ci laissait à Alex, assise en face de lui à l'autre bout de la table, le soin d'animer la conversation. Il ne la quittait pratiquement jamais du regard, constata Laura.

Elle fut soulagée de découvrir que les trois domestiques parlaient anglais, même si celui-ci était relativement rudimentaire. Rinaldo lui expliqua que c'était Alex qui lui avait suggéré d'engager deux servantes pour seconder Teresa, qui commençait à se faire vieille. Depuis celle-ci vénérait son épouse, précisa-t-il d'un air attendri.

— C'est pour Alex que Teresa a commencé à apprendre l'anglais. Et elle a fortement incité Claudia et Francia à suivre son exemple, sous peine d'un terrible châtiment divin.

Dès les premiers instants, Nikki se lia d'amitié avec les deux jeunes filles en pratiquant son italien, qui s'améliora de façon spectaculaire au cours de cette première journée. En retour, elle leur apprit des mots d'anglais. Lorsqu'il fut l'heure pour la fillette de se coucher, elles montèrent à l'étage toutes les trois en bavardant avec animation.

Les adultes sortirent dans le patio pour prendre le café. La nuit était déjà tombée et dans l'obscurité apparurent soudain des points lumineux qui avançaient progressivement vers la maison.

— Nos amis viennent vous souhaiter la bienvenue, annonça Rinaldo.

— Tu as prévenu tout le monde de notre arrivée ? demanda Gino.

— Non, personne. Mais tu sais comment ça se passe, ici…

Rinaldo se leva pour accueillir leurs premiers visiteurs. Environ toutes les cinq minutes de nouveaux arrivants se présentaient, si bien que très rapidement le patio déborda de monde. Au moins cinquante personnes devaient se trouver là, estima Laura.

Tous la saluèrent avec chaleur sans dissimuler leur curiosité. De toute évidence, la nouvelle du retour de Gino en compagnie d'une épouse s'était répandue dans toute la région et personne ne voulait rater cet événement.

Mais cette curiosité n'avait rien d'agressif ni de déplaisant. Elle était la bienvenue, comprit Laura.

Quand Nikki, attirée par le bruit et la lumière, apparut dans l'encadrement de la porte-fenêtre, un peu intimidée, elle fut saluée par des exclamations de bienvenue et personne ne manifesta la moindre gêne en la voyant. Comme Gino, aucune des personnes présentes ne semblait remarquer la moindre particularité chez cette petite fille, immédiatement acceptée comme une des leurs.

Profondément touchée par cet accueil chaleureux, Laura se tourna vers Gino pour lui faire part de son émotion.

Mais il n'était plus à côté d'elle, constata-t-elle avec une pointe d'inquiétude. Après l'avoir cherché du regard pendant un moment, elle finit par l'apercevoir, assis à l'écart en compagnie d'Alex qui lui parlait. Assurément, il était captivé. Comme si rien ni personne n'existait plus en dehors de la jeune femme.

11.

Personne ne semblait très pressé de finaliser la vente, constata Laura le lendemain. Avant tout, il fallait que Gino inspecte attentivement la propriété, décréta Rinaldo. Les deux frères décidèrent donc de passer la journée à parcourir leurs terres.

A la grande joie de Nikki, Alex lui proposa ainsi qu'à Laura une visite de la maison « hantée ».

Quand il les vit monter en voiture, Rinaldo demanda d'un air anxieux à Laura si elle savait conduire.

— Oui, depuis des années.

— Rinaldo, laisse Laura tranquille, protesta gentiment Alex. C'est moi qui conduis.

— Mais s'il arrive quoi que ce soit…

— L'accouchement n'est prévu que dans trois semaines.

Rinaldo foudroya sa femme du regard.

— On ne sait jamais ce qui peut arriver, insista-t-il d'un ton vif.

Quel caractère ombrageux ! songea Laura. De toute évidence, il ne supportait pas la moindre contradiction, même de la part de l'épouse qu'il adorait…

— En cas de problème, je prendrai le volant, intervint-elle.

Ce fut son tour d'être foudroyée du regard.

— Je vous rappelle qu'ici nous roulons à droite. Or en Angleterre vous avez l'habitude de…

— A l'intérieur de la propriété il n'y a aucun risque, fit valoir Alex. *Amore mio*, s'il te plaît, cesse de t'inquiéter. Il n'y a rien à craindre.

Rinaldo soupira et finit par céder de mauvaise grâce.

— Tu as ton téléphone portable ? demanda-t-il d'un ton bourru.

— Oui.

— Et tu connais mon numéro ?

— Non seulement je le connais par cœur, mais il est enregistré dans mon répertoire, lui rappela-t-elle avec une pointe d'agacement dans la voix.

— Et vous, Laura, vous l'avez ?

— Donnez-le moi, répondit Laura en sortant son portable. Parfait, dit-elle quand elle eut fini d'enregistrer les chiffres que Rinaldo lui avait dictés. J'ai votre numéro. J'ai aussi celui de Gino, et il a le mien.

— Et moi j'ai le numéro d'Alex, intervint Gino, qui venait de les rejoindre pour voir ce qui retenait son frère. Et Alex a mon numéro. Et Nikki a les numéros de tout le monde.

Ils éclatèrent tous de rire sauf Rinaldo.

— D'accord, d'accord ! Je sais que vous me trouvez insupportable.

Alex lui caressa la joue.

— Il faut que tu cesses de t'inquiéter pour un rien.

Il émit un soupir et recula d'un pas, laissant enfin sa femme démarrer.

Laura fit au revoir de la main à Gino, en souriant d'un air qu'elle espérait dégagé. Il était inutile de se torturer l'esprit à cause de ce qu'elle venait d'entendre… Après tout, quelle importance si Alex et lui avaient échangé leurs numéros de portable sans qu'elle en sache rien ?

Quelques instants plus tard, elles arrivaient devant la maison hantée. C'était un bâtiment du même style et presque aussi grand que la ferme où vivaient Rinaldo et Alex.

— Pourquoi raconte-t-on qu'elle est hantée ? demanda Laura.

— Une femme y a assassiné son mari infidèle, il y a très longtemps. Depuis, elle est censée y errer pour l'éternité en gémissant. Si elle existe, je suis certaine que Nikki la trouvera.

Mais Nikki eut beau explorer minutieusement le bâtiment dans ses moindres recoins, elle ne trouva aucune trace de fantôme. Sa mine déconfite trahissait l'ampleur de sa déception.

— En tout cas, c'est une belle maison, fit valoir Alex. Bien sûr, pour l'instant il n'y a ni l'eau ni l'électricité, mais les installer ne poserait pas de gros problèmes. Et une fois repeinte et décorée avec goût, imaginez comme elle serait agréable !

Laura resta silencieuse. L'angoisse qui lui nouait l'estomac depuis leur départ de la ferme menaçait de la submerger. Il n'y avait aucun doute. Alex était en train de lui suggérer que Gino et elle pourraient envisager d'habiter cette maison.

Sans doute était-ce cette idée qu'elle soumettait à Gino la veille au soir quand il l'écoutait religieusement. De toute évidence, Rinaldo était un homme irascible et autoritaire. Il y avait de grandes chances pour qu'Alex soit déçue par son mariage. Regrettant amèrement d'avoir rejeté Gino, elle avait trouvé cette solution pour renouer avec lui en toute discrétion.

Stop ! Laura s'efforça de reprendre ses esprits. Il fallait absolument qu'elle cesse de se monter la tête. La théorie qu'elle venait d'échafauder était ridicule.

Et pourtant… Elle reposait sur des faits tangibles. Dès le premier soir, Gino et Alex s'étaient isolés pour discuter ensemble et avaient échangé leurs numéros de portable. Laura prit une profonde inspiration. Seigneur ! Jamais elle n'aurait dû venir à Belluna.

Le lendemain, tandis que Nikki accompagnait Rinaldo et Gino aux vendanges, Alex emmena Laura à Florence.

— Avant tout, il faut que je passe voir mon employeur, annonça-t-elle.

— Votre employeur ?

— Je ne peux pas me contenter d'être femme de fermier. En Angleterre je travaillais comme comptable, alors j'ai décidé d'apprendre la comptabilité italienne au cabinet de *Signor* Tomaso Andansio. Parfois, il me donne du travail à effectuer à domicile. Aujourd'hui, j'ai des dossiers à lui rapporter.

Alex se gara devant un immeuble de bureaux de la Via Bonifacio Lupi. Elle invita Laura à la suivre et la présenta à *Signor* Andansio.

Pendant qu'Alex et son patron vérifiaient les dossiers, on servit à Laura du café et des gâteaux. Puis *Signor* Andansio en personne lui fit les honneurs de l'immeuble, classé monument historique. Cette visite passionnante la détendit et lui fit oublier un moment ses craintes.

Mais alors qu'ils revenaient à leur point de départ, Laura entendit depuis le couloir Alex qui parlait au téléphone.

— *Ciao, Gino.*

Au même instant, son hôte se mit à lui commenter un tableau accroché au mur, l'empêchant d'entendre la suite. Elle bouillait intérieurement quand, à son grand soulagement, *Signor* Andansio fut interrompu par sa secrétaire, qui avait besoin d'un renseignement. Tout en bénissant cette dernière, Laura tendit l'oreille.

— Non, je ne lui ai encore parlé de rien, disait Alex. Il faut que je trouve le bon moment... Non, *caro*, je veux lui expliquer moi-même... Promets-moi de ne pas la prévenir.

Laura eut l'impression qu'on lui enfonçait un couteau dans le ventre. Seigneur ! Cette fois c'était certain ! Elle avait malheureusement eu raison de craindre le pire. Cependant, il n'était pas question de s'effondrer. Il fallait absolument faire bonne figure. Elle attendit qu'Alex raccroche, puis, prenant une profonde inspiration, elle pénétra dans le bureau avec un sourire qui ne laissait rien deviner de sa détresse.

Heureusement, il était prévu de déjeuner avec des amis d'Alex ! Jamais elle n'aurait eu la force de donner le change pendant tout un repas en tête à tête avec la jeune femme...

Les convives se révélèrent charmants et le déjeuner se prolongea tard dans l'après-midi. Au grand soulagement de Laura, elles rentrèrent ensuite directement à Belluna.

Nikki attendait son retour de pied ferme, impatiente de lui raconter sa journée par le menu. Laura s'efforça de lui accorder toute son attention. Régulièrement, cependant, elle ne pouvait s'empêcher de jeter des coups d'œil furtifs dans la direction de Gino pour voir s'il discutait avec Alex.

C'était la première fois de sa vie qu'elle était ressentait le venin autodestructeur de la jalousie, et elle se serait bien passée de cette expérience, songea-t-elle avec dépit. Quelle expérience horrible ! Elle aurait donné cher pour se trouver ailleurs. N'importe où, mais ailleurs...

Alex était visiblement fatiguée, et dès la fin du dîner, Rinaldo l'invita à aller se coucher d'un ton péremptoire. Elle s'exécuta en souriant.

Laura décida de monter avec Nikki. Lorsqu'elle eut couché sa fille, elle gagna sa chambre et se mit à la fenêtre. Etait-il écrit quelque part que sa vie sentimentale était vouée à l'échec ? se demanda-t-elle la mort dans l'âme, en contemplant le ciel étoilé. Etait-elle donc condamnée à ne vivre qu'une perpétuelle suite de désillusions ?

Du rez-de-chaussée lui parvenaient les voix étouffées de Gino et de Rinaldo, qui discutaient en toscan.

Rinaldo se doutait-il de quelque chose ? Etait-ce pour cela qu'il était aussi nerveux ?

Au bout d'un moment, les voix se turent et elle entendit les deux hommes monter l'escalier. La porte de la chambre s'ouvrit et Gino entra.

— Tu n'es pas encore couchée ?

— Non, je contemplais le ciel. Il est si rare de voir autant d'étoiles en Angleterre !

— C'est vrai, tu as raison, commenta-t-il en se déshabillant. As-tu déjà vu un pays plus splendide que la Toscane ?

— Non, répondit-elle, le cœur serré.

Une fois nu, il la prit dans ses bras.

— Je suis content que tu sois encore debout, murmura-t-il en l'embrassant dans le cou.

— Je t'attendais. Il faut que je te parle, dit-elle en s'efforçant d'ignorer le désir qui s'emparait d'elle.

— De quoi veux-tu parler ?

— A ton avis ? Ne sommes-nous pas venus ici pour vendre la ferme ?

— Hmm...

— Ça fait des jours que tu discutes avec ton frère. N'as-tu encore rien décidé ?

Si seulement il pouvait s'arrêter de la couvrir de caresses, elle aurait peut-être moins de mal à parler, songea-t-elle, parcourue malgré elle de longs frissons.

— Il est difficile d'estimer la valeur de la ferme avant la fin des vendanges, murmura-t-il. Nous allons devoir rester un peu plus longtemps que prévu. Que se passe-t-il ? Je pensais que tu te plaisais à Belluna.

— C'est un endroit magnifique, mais... Gino, s'il te plaît... j'ai quelque chose à te demander...

— Pas maintenant... J'ai rêvé de ça toute la journée.

« De ça », nota-t-elle aussitôt avec amertume. Et non pas « de toi ».

— Gino...

— Chut, embrasse-moi...

« Il fallait être forte et ne pas succomber ! » s'exhorta-t-elle. Mais déjà la bouche de Gino s'emparait de la sienne. Impossible de ne pas répondre à ce baiser ardent...

Elle sentit sa chemise de nuit glisser à terre, puis Gino la souleva dans ses bras et la porta jusqu'au lit. Il lui fit l'amour avec une passion qui balaya toute pensée cohérente de son esprit. Plus rien ne comptait que la fusion de leurs deux corps, emportés dans une spirale de feu jusqu'au plaisir suprême.

Plus tard seulement, quand il fut profondément endormi loin d'elle tout au bord du lit, Laura sentit le doute s'insinuer en elle. Et si l'ardeur de Gino avait justement pour objectif d'effacer toute pensée cohérente de son esprit ?

Le lendemain matin, Laura se réveilla pleine d'appréhension. Allait-elle trouver la force de sourire, de parler, de donner le change ? Mais à son grand soulagement, un répit lui fut accordé. Rinaldo et Gino se rendirent à Florence, Alex se reposa dans sa chambre et Nikki apprit à faire la cuisine avec ses nouvelles amies.

« Autant en profiter pour prendre un peu le large », décida-t-elle. Au volant du véhicule mis à sa disposition, elle partit explorer les environs et s'arrêta au bord d'un ruisseau. Marcher un peu lui permettrait peut-être de s'éclaircir les idées...

Quand elle remonta en voiture, elle avait repris le dessus. Pour qui Gino et Alex la prenaient-elle ? S'imaginaient-ils vraiment qu'elle allait rester les bras croisés pendant qu'ils décidaient de son destin ? Elle n'allait tout de même pas attendre sagement qu'ils trouvent le « bon moment » pour l'informer de leurs projets !

En arrivant à la maison, elle vit la voiture de Rinaldo. Gino et lui étaient donc rentrés. Parfait.

Elle trouva Gino avec Alex dans la véranda. De toute évidence, ils ne perdaient pas une occasion de se retrouver en tête à tête...

— Je suis venue vous dire que je voulais rentrer chez moi, annonça-t-elle de but en blanc. Il faut que je m'occupe des pensionnaires, et Nikki doit retourner l'école. Je vous remercie pour votre accueil chaleureux, ajouta-t-elle à l'adresse d'Alex. Mais à présent, il est temps que nous rentrions en Angleterre.

— Oh, non ! murmura Alex.

Gino se leva, visiblement consterné.

— Laura, s'il te plaît, je te supplie de renoncer à cette idée. Je sais que c'est en Angleterre que tu veux vivre et j'espérais avoir un peu plus de temps pour t'expliquer...

— Ne te fatigue pas, je pense avoir compris, coupa-t-elle d'une voix glaciale.

Se tournant vers Alex, elle déclara :

— Ce n'est pas par hasard que vous avez demandé à Gino de revenir, n'est-ce pas ? Vous avez toujours eu l'intention de le retenir à Belluna.

— C'est vrai, reconnut Alex sans détour.

Laura eut le souffle coupé. Jamais elle n'aurait imaginé que la jeune femme reconnaîtrait aussi franchement ses intentions... Mais visiblement, Alex n'avait pas terminé, constata-t-elle en se préparant au pire.

— Comme vous venez de le dire, ce n'est pas par hasard, confirma Alex. Je souhaitais qu'il revienne s'installer ici, avec vous et Nikki. Mais nous savions que vous seriez difficile à convaincre, alors nous avons attendu, espérant qu'avec le temps vous finiriez par aimer ce pays. Peut-être avons-nous attendu trop longtemps. A plusieurs reprises, j'ai eu envie de me confier à vous.

— Pour me dire quoi ? demanda Laura, intriguée.

Il y avait dans la voix d'Alex une note étrange.

— Que j'étais inquiète au sujet de Rinaldo... Le bébé va bientôt naître.

Laura en oublia tous ses griefs.

— Gino m'a parlé de ce qui était arrivé à sa première femme. Est-ce cela qui vous inquiète ?

— Oui, mais ce n'est pas tout. Le bébé semble vouloir se présenter par le siège. Les médecins tentent régulièrement de modifier son orientation, mais il persiste à reprendre sa position initiale. Ce n'est pas dramatique en soi, mais ça ne fait qu'accroître l'angoisse de Rinaldo.

Il y avait dans la voix de la jeune femme une tendresse indubitable, que confirmait la douceur de son regard. Laura sentit son cœur se gonfler d'espoir. Se serait-elle mépris sur les intentions d'Alex ?

— Cependant, tout devrait bien se passer, fit-elle valoir d'un ton apaisant.

— Oui, bien sûr, acquiesça Alex. Mais si jamais il m'arrivait quelque chose... Rinaldo ne pourrait pas le supporter. Il n'est pas aussi solide qu'il voudrait le faire croire et sans moi il serait perdu. Il aurait besoin de son frère. Un besoin vital.

— Voyons, Alex, il ne vous arrivera rien.

— Sans doute. Cependant, je dois tout prévoir, vous comprenez. Au cas où… Si je n'étais plus là, accepteriez de venir vivre ici ? demanda-t-elle avec un regard implorant.

Avant que Laura ait le temps de répondre, des bruits de pas se firent entendre.

— Rinaldo ! s'exclama Alex dans un souffle. Gino, s'il te plaît…

Gino sortit de la véranda et appela son frère. Puis leurs voix s'éloignèrent.

— Avant qu'ils reviennent, je voulais vous dire que s'il m'arrive quelque chose, Rinaldo aura besoin de sa famille, reprit Alex. Accepterez-vous de vivre ici ? Moi disparue, vous n'aurez plus aucune raison d'avoir peur.

— Je n'ai pas peur de vous !

— Vraiment ? Je le croyais. A plusieurs reprises, j'ai surpris les regards inquiets que vous nous jetiez à Gino et à moi. Vous savez pourquoi il a quitté Belluna. Sans doute craignez-vous qu'il n'ait pas vraiment tourné la page. Moi-même, alors que j'y pensais depuis plusieurs mois, je n'osais pas lui demander de revenir auprès de son frère, de peur qu'il n'éprouve encore des sentiments pour moi. Mais quand nous avons reçu la lettre où il nous parlait de vous, j'ai été complètement rassurée.

— Les choses ne sont pas toujours aussi simples qu'elles le paraissent, objecta Laura en soupirant.

Alex lui prit la main.

— Promettez-moi que vous resterez ici jusqu'à l'accouchement, supplia-t-elle.

— Promis. Ne vous inquiétez pas, tout va bien se passer. Vous et votre bébé, vous vous porterez très bien.

— Et ensuite, vous partirez ?

Laura poussa un soupir.

— Je ne sais pas. Je ne sais pas du tout.

Après cette conversation, Laura se sentit soulagée d'un grand poids. A présent qu'elle était rassurée sur les intentions d'Alex, pourquoi ne pas profiter du temps qui restait avant l'accouchement pour apprendre à mieux connaître Belluna et les gens qui y vivaient ?

Ayant deviné son désir sans qu'elle ait eu besoin de le formuler, Alex l'emmenait chaque après-midi explorer une nouvelle partie du domaine. Un jour, sa belle-sœur s'arrêta devant une petite église et conduisit Laura dans un coin reculé du cimetière, devant une tombe un peu à l'écart. Deux noms étaient inscrits sur la stèle. Maria Farnese, décédée à l'âge de vingt-trois ans, et Antonio Farnese, né et décédé le même jour.

— Maria était l'amour de jeunesse de Rinaldo, expliqua Alex. D'après Gino, ils étaient très épris l'un de l'autre, mais ils ont passé moins de deux ans ensemble. Maria est morte en donnant le jour à Antonio, qui n'a vécu qu'une heure. Rinaldo vient encore se recueillir ici régulièrement.

— Cela ne vous perturbe pas ? ne put s'empêcher de demander Laura.

Alex fut visiblement stupéfaite par cette question.

— Bien sûr que non ! Le passé est le passé. Il est aussi vain de l'occulter que d'en être jaloux. L'amour qu'a éprouvé Rinaldo pour Maria ne diminue en rien l'amour qu'il éprouve pour moi.

Alors qu'elles quittaient le cimetière, Alex déclara d'un ton enjoué :

— J'ai cru comprendre que nous allions avoir une bonne surprise, au dîner.

— J'espère qu'elle sera vraiment bonne, répliqua Laura en souriant. Nikki se prend déjà pour un grand chef !

— Ne vous inquiétez pas. Teresa restera vigilante et ce sera très réussi.

— Je ne sais même pas ce qu'elles nous concoctent. Elles se sont enfermées dans la cuisine ce matin toutes les quatre avec les nièces de Teresa, et quand j'ai voulu y entrer, Nikki m'a mise fermement dehors en me disant que le menu devait rester secret jusqu'au dîner.

— Quel suspense ! J'ai hâte d'être à ce soir ! s'exclama Alex en riant.

Mais tout à coup, elle se courba en deux et s'agrippa à la tombe la plus proche en suffoquant.

— Alex, que se passe-t-il ?

— Je crois que je suis en train de perdre les eaux, répondit cette dernière d'une voix étranglée.

— Je vais appeler une ambulance.

Alex lui saisit la main.

— Elle arrivera trop tard. Ça t'ennuierait de me conduire toi-même à l'hôpital ? C'est à Florence, près de la Via Bonifacio Lupi, où nous sommes allées l'autre jour.

— Non, bien sûr.

Laura soutint Alex jusqu'au véhicule et l'aida à s'installer sur la banquette arrière. « Pourvu que le trajet jusqu'à Florence ne soit pas trop long ! » pria-t-elle intérieurement en se mettant au volant.

— Il a décidé d'arriver en avance. Pour quand était-ce prévu, exactement ? demanda-t-elle en s'engageant sur la route.

— La semaine prochaine, répliqua Alex d'une voix saccadée.

Soudain, elle laissa échapper une plainte.

— Laura, toi qui as déjà eu un bébé, combien de temps après la perte des eaux commencent les contractions ?

— Ça dépend. Chez certaines femmes, vingt-quatre heures. Pour moi, c'était trois heures. Mais ça peut être beaucoup plus rapide.

— Pas quelques minutes, j'espère ?

— Non, je ne crois pas, répliqua Laura, s'efforçant de prendre un ton rassurant. Tiens bon. Je roule aussi vite que possible. Dieu merci, ces routes de campagnes sont désertes. Je ne m'étais pas rendu compte que la propriété était aussi vaste.

Soudain, Alex poussa un cri.

— Tu ne peux pas avoir déjà des contractions ! protesta Laura. C'est beaucoup trop tôt !

— Dis ça au bébé ! Oh, mon Dieu !

Pas de doute, il y avait urgence, comprit Laura en s'arrêtant.

— Que fais-tu ? s'écria Alex.

— A mon avis, nous n'avons plus le temps d'aller jusqu'à l'hôpital.

— Tu es sûre ?

— Quand j'ai eu Nikki, il est arrivé la même chose à ma voisine de chambre. Elle m'a raconté que son bébé était né sur le trajet.

— Tu penses que c'est ce qui va se passer ?

— Pas toi ?

— Si !

Laura bondit hors du véhicule et monta à l'arrière. Alex composait fébrilement le numéro de Rinaldo sur son portable.

— Ça y est, *amore mio*. Apparemment, il est très pressé. Nous avons arrêté la voiture à...

Elle décrivit l'endroit où elles se trouvaient, mais sa phrase se termina dans un long gémissement. Laura lui prit le téléphone.

— Rinaldo ? Ne vous inquiétez pas. Alex va bien. Le travail a déjà commencé et il faut nous envoyer une ambulance. Pouvez-vous leur indiquer où nous sommes ?

— Oui, répondit-il d'une voix tendue.

— Parfait. Je veille sur elle jusqu'à leur arrivée.

Laura raccrocha. Elle donnerait cher pour se sentir aussi assurée que son ton le suggérait… En tout cas, elle se découvrait des talents cachés de comédienne. Tant mieux. L'essentiel était qu'Alex se sente en sécurité.

— L'ambulance va bientôt arriver, déclara-t-elle.

— Pas… le temps…

— S'il te plaît, Alex, essaie de…

Laura s'interrompit. Inutile de demander l'impossible. Le bébé allait naître d'un moment à l'autre. Elles le savaient toutes les deux.

— Tout va bien se passer, murmura-t-elle d'une voix apaisante en priant pour que ce soit vrai.

Elle enleva sa veste de lin et la mit de côté pour le bébé. Avec précaution, elle aida Alex à s'allonger sur le siège, tout en affichant un sourire confiant.

— Tu n'oublieras pas ? dit Alex. S'il arrive quoi que ce soit…

— Veux-tu bien te taire ! La seule chose qui va arriver c'est que tu vas avoir un bébé superbe. Je te le promets.

Au même instant, Alex lui agrippa le bras avec une telle force qu'elle faillit hurler de douleur. Apparemment, ça se précisait…

— Vas-y, Alex ! Vas-y… Allez… Tout va bien, Alex. Je vois la tête ! Il se présente dans le bon sens !

Malgré la douleur, Alex eut un sourire de soulagement. Dix minutes plus tard, Laura tenait le bébé entre ses mains.

— C'est une fille, annonça-t-elle en l'enveloppant dans sa veste de lin.

Alex regardait sa fille avec une incrédulité émerveillée.

— Merci, Laura. Sans toi…

D'un geste vif, Laura essuya les larmes d'émotion qui perlaient à ses paupières. Au même instant, elle vit arriver une voiture.

— Voilà Rinaldo et Gino, annonça-t-elle.

Elle descendit de voiture au moment où le véhicule pilait à quelques mètres d'elles. Rinaldo bondit de son siège, visiblement au bord de l'infarctus.

— Pas de panique ! Le bébé est né et tout s'est bien passé.

Rinaldo se rua vers Alex et leur enfant.

— Tu vas bien ? demanda Gino en regardant Laura d'un air inquiet.

— Oui, et Alex et sa fille également.

Laura éclata d'un petit rire nerveux.

— Le bébé s'est présenté normalement ! Ils se sont inquiétés pour rien.

— Pour rien ? s'exclama Gino en ouvrant de grands yeux. Alors que l'accouchement s'est déclenché prématurément et avec une telle rapidité ? Imagine qu'elle ait été seule quand c'est arrivé ? Sans toi, ça aurait pu tourner à la tragédie.

Laura resta interdite.

— C'est vrai… oui… Mais peu importe, à présent. Tout s'est bien passé.

Gino l'enveloppa d'un regard débordant de tendresse.

— C'est tout l'effet que ça te fait d'être une héroïne ?

— Une héroïne ? Il ne faut pas exagérer. Oh, Dieu merci, voilà l'ambulance !

Gino et Laura s'approchèrent de la voiture.

Penché sur le bébé, Rinaldo sanglotait, constata Laura avec stupeur. Quant à Alex, elle tenait son bébé d'un bras et caressait la tête de son mari de sa main libre. L'espace d'un instant, elle leva les yeux et son regard rencontra celui de Laura. Les deux femmes échangèrent un sourire de connivence.

12.

Ce soir-là, toute la famille — moins Alex et le bébé — fêta l'heureux événement en dégustant le dîner que Nikki avait préparé. Avant même le dessert, encouragée par les compliments que lui prodiguèrent les convives, la petite fille se mit à réfléchir au menu du banquet qui célébrerait le retour à la maison d'Alex et de sa fille Laura.

Ce prénom s'était imposé de lui-même aux deux parents. Le récit de l'accouchement fit rapidement le tour de Belluna, et à partir de ce jour-là, Laura fut accueillie par des acclamations partout où elle alla. Belluna l'avait adoptée, se répétait-elle avec une émotion teintée de fierté. Le prénom de sa nièce en était la preuve la plus flagrante.

Dès qu'il fut rassuré sur le sort de sa femme, Rinaldo devint le plus charmant des hommes.

Bien sûr, il était complètement gâteux de sa fille, et il ne manquait jamais une occasion de chanter les louanges de sa belle-sœur.

Quant à Alex, elle était l'incarnation du bonheur.

Un soir, alors qu'elles couchaient le bébé, Laura déclara :

— Alex, es-tu consciente que tu n'as plus besoin de nous ?

— Que veux-tu dire ?

— Rinaldo n'ayant plus aucune raison de s'inquiéter à ton sujet, Gino et moi nous pouvons repartir.

— Eh bien... c'est-à-dire..., bafouilla Alex.

— Oui ? l'encouragea Laura, qui s'attendait à cette réaction.

— En fait, nous aimerions beaucoup que vous restiez ici tous les trois. Parce que nous vous aimons et que votre départ nous peinerait beaucoup, mais aussi parce que Gino est viscéralement attaché à sa terre natale. Je ne pense pas qu'il puisse être vraiment heureux ailleurs. Mais bien sûr, je peux me tromper.

— Non, je ne crois pas. Je pense la même chose que toi. Avant même que tu lui écrives, je l'avais incité à revenir ici pour prendre le temps de la réflexion avant de vendre sa part. Je ne voulais pas qu'il puisse avoir un jour des regrets.

— Ça ne m'étonne pas de toi.

— Cependant, notre mariage n'est pas tel que tu sembles l'imaginer. T'a-t-il dit que c'est moi qui lui ai demandé de m'épouser ?

— Non. Je savais que vous vous étiez mariés avant tout pour Nikki, mais pas que c'était à ton initiative. Est-ce uniquement pour ta fille que tu lui as fait cette demande ?

— Non, admit Laura en souriant. Je l'aimais, bien sûr. Même si je n'en étais pas encore consciente. Malheureusement, je crains de ne jamais savoir ce qu'il ressent pour moi.

Alex arqua les sourcils.

— Vous n'évoquez jamais vos sentiments mutuels ?

— Quand on décide de faire un mariage de raison, ce n'est pas pour se parler d'amour.

— Et bien sûr, il ne t'a jamais dit ce qu'il a écrit dans sa lettre à Rinaldo ?

Le cœur de Laura se mit à battre la chamade.

— Non.

— Je pense qu'il faut que tu le saches.

Alex ouvrit un tiroir et en sortit une feuille de papier bleu, qu'elle lui tendit. Laura secoua la tête.

— Je ne comprends pas l'italien, et de toute façon, je ne veux pas…

Elle hésita. La tentation était si forte !

— Crois-tu que je peux me permettre de prendre connaissance du contenu de cette lettre alors qu'elle ne m'est pas adressée ? demanda-t-elle.

— Bien sûr ! rétorqua Alex en levant les yeux au ciel. Quand on est à la recherche de la vérité, il ne faut pas se laisser freiner par ce genre de scrupules. Je vais te la traduire.

« A quoi bon jouer les héroïnes ? » se demanda Laura. Elle rêvait depuis si longtemps de connaître les pensées de Gino…

Alex lut à haute voix :

« Cher Rinaldo, j'ai une confidence à te faire. Alex et toi vous m'avez toujours assuré qu'un jour je trouverais moi aussi l'âme sœur. Je ne voulais pas vous croire, et pourtant vous aviez raison. Elle s'appelle Laura et si elle savait que je parle d'elle en ces termes, elle serait très surprise. Nous nous sommes mariés il y a quelques semaines, et je n'ai jamais été aussi heureux de ma vie, même si je sais qu'elle ne partage pas mes sentiments. Si Laura m'a épousé, c'est pour sa fille Nikki, à laquelle je suis très attaché et qui me considère comme son père. Laura aime un autre homme, mais pour elle le bonheur de Nikki passe avant tout. Peut-être finira-t-elle un jour par m'aimer comme je l'aime. Je suis prêt à attendre aussi longtemps qu'il le faudra. Toute ma vie si nécessaire. »

La gorge nouée par l'émotion, Laura eut du mal à refouler ses larmes.

Alex l'observa attentivement.

— Gino avait-il raison ? demanda-t-elle. Aimais-tu un autre homme ?

— Non. Je l'ai cru pendant un moment, mais je me trompais. J'aimais déjà Gino, à l'époque.

Alex poussa un petit soupir faussement exaspéré.

— Eh bien, on peut dire que vous aimez vous compliquer la vie, tous les deux ! Il me paraît urgent de faire appel à la baguette magique d'une bonne fée pour démêler cet imbroglio !

Le lendemain, Gino passa la journée à Florence pour assister à une réunion des viticulteurs de la région. Il ne revint à Belluna qu'au crépuscule.

Dès qu'il pénétra dans la maison, Alex l'appela depuis le palier du premier étage.

— Gino !

— Où est Laura ? demanda-t-il.

— Je ne sais pas. Peux-tu me rendre un service ?

— Bien sûr. Mais laisse-moi d'abord voir Laura.

— Je crois qu'elle est sortie.

— Sortie ?

— Tu la chercheras plus tard. J'ai besoin que tu ailles là-bas.

D'un geste, elle indiqua la maison hantée de l'autre côté de la vallée.

— J'y ai oublié mon sac cet après-midi. S'il te plaît, rends-moi ce service, Gino.

— D'accord, j'y vais. Mais j'aimerais savoir où se trouve Laura. Il faut que je lui parle.

— Ah bon ? dit Alex avec une pointe d'ironie. Je croyais qu'avec elle tu évitais soigneusement toute discussion.

Gino fut abasourdi. Ce persiflage ne ressemblait pas du tout à Alex...

— Qu'est-ce qui te prend ?

— J'estime que Laura a le droit de savoir que tu l'aimes, figure-toi. Et comme tu n'as pas le courage de le lui dire toi-même, je m'en suis chargée à ta place.

Gino en resta muet d'indignation.

— Toutefois, elle n'a pas voulu me croire, poursuivit Alex d'une voix suave. Alors je lui ai lu la lettre que tu nous as écrite.

— Tu n'as pas osé faire ça ?

— Mon cher, j'aurais osé bien pire pour dissiper ce malentendu. A propos, je t'informe qu'elle n'a jamais aimé cet autre homme dont tu parles. Elle me l'a dit. Ainsi que des tas d'autres choses très intéressantes. Mais celles-là, elle te les répètera elle-même. Voilà. J'estime en avoir assez fait. Pour la suite, débrouille-toi tout seul.

Gino resta un instant interdit, puis il monta en courant embrasser la jeune femme sur les deux joues.

— Alex, je t'adore ! Merci !

— Allez, vas-y.

— Mais où vais-je la trouver ?

— Non. Je voulais dire va chercher mon sac.

— Ah, oui. J'avais oublié.

Il redescendit l'escalier et s'en alla.

Rinaldo, qui les observait depuis un moment, dissimulé derrière une porte, rejoignit sa femme avec un sourire plein de tendresse.

— Qu'est-ce que tu mijotes ?

Elle arqua les sourcils.

— Que veux-tu dire ?

— Je viens de voir ton sac dans le salon.

— Vraiment ? Tu as dû avoir une hallucination.

— Pas du tout. Je répète, *amore mio*, que mijotes-tu ?

Alex eut un sourire mutin.

— Après ce que Laura a fait pour nous, j'estime qu'il est grand temps de lui renvoyer l'ascenseur.

Alors qu'il était presque arrivé à la maison hantée, Gino arrêta soudain la voiture. Bon sang ! Lui qui se flattait d'avoir l'esprit vif, comment n'avait-il pas deviné plus tôt ? Le sac n'était sûrement qu'un prétexte...

Alors qu'il contemplait rêveusement la maison qui se dressait dans le crépuscule, il aperçut une lueur vacillante à l'une des fenêtres.

Si on était superstitieux, on pouvait imaginer que c'était le fantôme. Mais si on était amoureux, on pouvait imaginer tout autre chose...

Il redémarra et parcourut les derniers mètres.

Laura l'accueillit en souriant, un chandelier à la main.

« Comme elle était belle et mystérieuse, le visage éclairé par la flamme de la bougie ! » songea-t-il, fasciné.

— Laura, je sais qu'Alex t'a lu ma lettre. A mon tour j'ai besoin d'entendre tes aveux. Dis-moi que tu m'aimes, s'il te plaît.

— Je t'aime. Depuis longtemps. Et pour toujours.

— Pour toujours. Toi, Nikki et moi. Tous les trois.

Elle lui prit une main et la posa sur son ventre.

— Tous les quatre, rectifia-t-elle.

Puis elle posa le chandelier pour se jeter dans ses bras. Ils s'étreignirent longuement.

— J'ai téléphoné en Angleterre cet après-midi pour prévenir les pensionnaires qu'ils peuvent racheter la maison, annonça-t-elle au bout d'un moment. Nous utiliserons l'argent pour retaper celle-ci.

— Tout est prévu, n'est-ce pas ?

— Tout était déjà prévu avant même notre arrivée. Alex a choisi cette maison pour nous depuis longtemps. Sais-tu pourquoi ? Regarde.

Laura reprit le chandelier et s'approcha de la fenêtre. De l'autre côté de la vallée, on apercevait la maison de Rinaldo et d'Alex, en partie éclairée. Derrière une des fenêtres plongées dans l'obscurité, Gino vit soudain apparaître une lueur vacillante.

— Qui est-ce ? demanda-t-il.

— Alex, bien sûr.

— Alex et toi, vous êtes devenues de grandes amies, n'est-ce pas ?

— Amies, sœurs, complices. Regarde.

Laura agita lentement le chandelier. De l'autre côté de la vallée, la flamme jumelle lui répondit en écho.

Chère lectrice,

Vous nous êtes fidèle depuis longtemps?
Vous venez de faire notre connaissance?

C'est pour votre plaisir que nous avons imaginé un rendez-vous chaque mois avec vos auteurs préférés, vos AUTEURS VEDETTE *dans les collections* Azur *et* Horizon.

Les AUTEURS VEDETTE *vous donneront rendez-vous pour de nouveaux livres vedette.*

Pour les reconnaître, cherchez l'étoile... Elle vous guidera!

Éditions Harlequin

AUT-R-R

HARLEQUIN

LE FORUM DES LECTEURS ET LECTRICES

CHERS(ES) LECTEURS ET LECTRICES,

VOUS NOUS ETES FIDÈLES DEPUIS LONGTEMPS?

VOUS VENEZ DE FAIRE NOTRE CONNAISSANCE?

SI VOUS AVEZ DES COMMENTAIRES, DES CRITIQUES À FORMULER, DES SUGGESTIONS À OFFRIR, N'HÉSITEZ PAS… ÉCRIVEZ-NOUS À:

LES ENTERPRISES HARLEQUIN LTÉE.
498 RUE ODILE
FABREVILLE, LAVAL, QUÉBEC.
H7R 5X1

C'EST AVEC VOS PRÉCIEUX COMMENTAIRES QUE NOUS ALLONS POUVOIR MIEUX VOUS SERVIR.

DE PLUS, SI VOUS DÉSIREZ RECEVOIR UNE OU PLUSIEURS DE VOS SÉRIES HARLEQUIN PRÉFÉRÉE(S) À VOTRE DOMICILE, NE TARDEZ PAS À CONTACTER LE SERVICE D'ABONNEMENT; EN APPELANT AU (514) 875-4444 (RÉGION DE MONTRÉAL) OU 1-800-667-4444 (EXTÉRIEUR DE MONTRÉAL) OU TÉLÉCOPIEUR (514) 523-4444 OU COURRIER ELECTRONIQUE: AQCOURRIER@ABONNEMENT.QC.CA OU EN ÉCRIVANT À:

ABONNEMENT QUÉBEC
525 RUE LOUIS-PASTEUR
BOUCHERVILLE, QUÉBEC
J4B 8E7

MERCI, À L'AVANCE, DE VOTRE COOPÉRATION.

BONNE LECTURE.

HARLEQUIN.

VOTRE PASSEPORT POUR LE MONDE DE L'AMOUR.

L'ASTROLOGIE EN DIRECT
TOUT AU LONG
DE L'ANNÉE.

(France métropolitaine uniquement)

Par téléphone 08.92.68.41.01

0,34 € la minute (Serveur SCESI).

Composé et édité par les
éditions Harlequin
Achevé d'imprimer en avril 2005

à Saint-Amand-Montrond (Cher)
Dépôt légal : mai 2005
N° d'imprimeur : 50733 — N° d'éditeur : 11230

Imprimé en France